エスター・ヒックス＋ジェリー・ヒックス
吉田利子 訳

引き寄せの法則

エイブラハムとの対話

The Law of Attraction

本書を、悟りと幸福を求めて問い掛け、本書に答えを見いだすはずのすべての人に捧げる。
それから、わたしたちの素晴らしい四人の孫たち、
ローレル（8歳）、ケヴィン（5歳）、ケイト（4歳）、リューク（1歳）にも贈りたい。
孫たちは、今はまだ問う必要がない。大切な答えを忘れていないからである。

さらに幸福の原則を尋ね、学び、学んだことを地球上に広めたいと望むあまりに、
とうとうヘイ・ハウス出版を創設したルイーズ・ヘイに、特に本書を捧げる。
ヘイ・ハウス出版のおかげで、世界にこれほど多くの喜びを伝えることが可能になった。

序

ベストセラー『神との対話』シリーズおよび『神に帰る』の著者
ニール・ドナルド・ウォルシュ

これこそ待望の書だ。ついにこの本が世に出る。皆さんはもう、ほかに何も求めなくていい。ほかの書物はすべて閉じてよろしい。ワークショップやセミナーに参加しなくていいし、人生のコーチには「相談する必要はもうなくなった」と電話で告げればいい。

なぜなら、この本があるから。素晴らしい人生を送るにはどうすればいいのか、あなたが知る必要のあるすべてがここに書かれている。人生というこの比類ない旅の道程のすべての法則がここに記されている。あなたがいつも望んできたとおりの体験を生み出すツールのすべてがここにある。あなたはもう、どこへも行かなくていい。

そうなのだ。今あなたがしていることを振り返ってみればいい。

ほら、今あなたは何をしているのだろう？

今あなたは本書を手にしている。

そうなのだ。それでいい。あなたが本書をここに、あるべき場所に、あなたの目の前に置いた。あなた自身がふと本書を手にとった。本書が役立つという証拠はそれだけで十分だ。

おわかりいただけただろうか？　いやいや、そう先を急がないでほしい。聞いていただきたい大事なことがある。ここに書かれた「引き寄せの法則」が本物で、効果があり、**実生活で具体的な成果**を挙げることを示す最高の証拠をあなたは今、手にしている、とわたしは申し上げている。

説明しよう。

あなたは意識のどこかで、心のなかの重要な場所で、このメッセージを受け取ろうと決めた。そうでなければ、本書を手にすることはなかったはずだ。

これは決して小さなことではない。とても大きな出来事だ。信じてほしい。とても大きな出来事なのだ。なぜなら**あなたは今、自分が選んだ創造にいよいよ取り掛かろうとしている**からだ。あなたが選んだ創造とは、自分の人生に何か大きな変化をもたらすことだ。

そう、それがあなたの**選んだ**ことだ。違うだろうか？　もちろん、違わない。今あなたはこの文章を読んでいるが、日々の人生を新しいレベルに引き上げたいという深い欲求がなかったら、こうはならなかったはずだ。あなたはずっと以前からそれを望んでいた。そこで問題はただ一つ。**どうすればいいのか？**　**宇宙にはどんな法則が働いているのか？**　**自分が望むことを実現するためのツールは何か？**

それが、ここにある。あなたはそれを求め、獲得した。実はそれが第一の法則なのだ。あなたは「求めるものを獲得」する。しかし、それだけではない。意味はもっともっと深い。それをこの素晴らしい本が教えてくれる。あなたは素晴らしいツールを手に入れるだけでなく、**その使い方**も教えてもらえる。

人生にも取り扱い説明書や攻略本があったらいいのに、と思ったことはないだろうか？　いい考えだ。そして、それがあるのだ。

みんな、エスター・ヒックスとジェリー・ヒックスのおかげだ。それにもちろんエイブラハムのおかげである（エイブラハムとは何者なのか、それはこの元気をくれる素晴らしい本がこれから説明してくれる）。エスターとジェリーはエイブラハムが伝えた驚異のメッセージを分かち合うという喜ばしい仕事に人生を捧げている。わたしは二人の行為を立派だと思い、それゆえに二人を愛し、また深く感謝している。二人はわたしたちみんなが引き受けた使命に栄光をもたらすという、これまた栄光ある使命を引き受けた稀有の人たちだから。わたしたちみんなが引き受けた使命とは、人生そのもの。そして真の自分の栄光を生きて体験することだ。

皆さんはきっと本書を読んで感銘を受け、深い喜びを味わうだろう。本書は皆さんの人生の転機になるに違いない。ここでは宇宙の最も重要な法則（実はこれこそ知るべき唯一の法則だ）が明かされているだけでなく、**人生のメカニズム**が実にわかりやすく説明されている。これこそ画期的な情報だ。これこそ不朽のデータだ。これこそ目覚ましくも輝かしい洞察だ。

こんなことはわたしもめったに言わないので、よく聞いてほしい。**ここに書かれた言葉のすべてをしっかりと読み、書かれたすべてを実行すること。**この本はあなたが心に抱き続けてきたすべての質問に答えてくれる。だから――率直に言わせていただくが――しっかりと関心を向けて、この本をお読みなさい。

この本は、**関心の向け方**を教えてくれる。そして**関心の向け方**にしっかり関心を向ければ、実生活でのあなたの意図はすべて実現する――そうなれば、あなたの人生は一変するだろう。

まえがき

ジェリー・ヒックス

これからお読みになるスピリチュアリティに関する画期的な実践哲学は、わたしが長年答えを求めてきた多くの問いに答える形で、1986年にエスターとわたしに初めて明かされたものだ。

これから、エイブラハム(「エイブラハム」とは一人ではなく、愛に満ちた複数の存在を指す「グループ」名であることにご注意いただきたい)が、わたしたちの前に現れた最初のころに、愛を込めて話してくれた「エイブラハムの教え」の基本的な部分をご説明する。

この本の元になった記録は1988年に「特別の主題(スペシャル・サブジェクト)」という10本のカセットアルバムの一部として発表された。その後、「宇宙を貫く引き寄せの法則」

に関するエイブラハムの基本的教えのさまざまな側面が、本やCD、DVD、カード、カレンダー、雑誌記事、ラジオやテレビ番組、ワークショップ、それにエイブラハムの教えを取り入れたほかの多くの著者たちのベストセラー本によって伝えられてきた。しかし「引き寄せの法則」に関するもともとの教えが一つにまとまった形で公表されるのは、この本が初めてである（元の記録の一部をお聞きになりたければ、www.abraham-hicks.comから「エイブラハムの紹介」という70分のファイルを無料でダウンロードできる）。

この本は、CD5枚セットのうちの「エイブラハムの基本」入門編を文章に起こし、それを書き言葉として理解しやすいようにエイブラハムに編集してもらってできたものだ。またエイブラハムは、つながり具合をよくしてわかりやすくするために、新しい文章をいくつか付け加えている。

これまで何百万人もの読者、リスナー、視聴者がエイブラハムの教えを受け取り、活用してきた。今、この『引き寄せの法則』という本を通じて、エイブラハムの教えの基本を本来の形で皆さんにお伝えできることを思って、エスターもわたしもうれしくてワクワクしている。

ところで、この本は以前出版されたエイブラハムの『運命が好転する　実践スピリチュアル・トレーニング』という本とどう違うのか？「引き寄せの法則」は基本の基本であり、ほかのすべての教えもここから発生していると考えていただきたい。『運命が好転する実践スピリチュアル・トレーニング』のほうは、最初の20年間のエイブラハムの教えをまとめたものである。

本書を作成するにあたって、人生を一変させたあの記録を再び読み直すことで、エスターもわたしも素晴らしい体験をした。わたしたちはエイブラハムが何年も前に鮮やかに説明してくれた、この基本的でシンプルな「法則」をもう一度思い出したのだ。

エスターとわたしはこの教えを受けて以来、学んだ「法則」を人生に応用しようと最善を尽くしてきた。その結果、どれほど喜ばしい人生が展開したかは、まさに驚異だ。わたしたちはエイブラハムの言うことを一つ残らず信じた。エイブラハムの言葉はすべてもっともで、実に筋が通っていると感じたからだ。だが、その教えをどう応用するかは日々の体験のなかで一つひとつ確認すべきことだった。そして、わたしたち自身の体験から、大きな喜びをもってこう断言することができる。「この法則は使えます!」と。

（編者の註　エスターがチャネリングで受け止めた見えない世界の思考は、必ずしも今ある言葉で適切に表現できるとは限らない。そこでエスターは人生に対する新しい見方を伝えるために、言葉の新しい組み合わせを用いたり、既にある言葉を新しいやり方――例えば普通なら使わないところで、強調文字を使用するなど――で使っていることにご注意いただきたい）

引き寄せの法則　目次

序　002
まえがき　006

Part1
エイブラハム体験への道……023

イントロダクション
エイブラハムが教えてくれた真実――024
わたしが出会った独断的な宗教的グループ――026
ウィジャ・ボードが示した言葉――027
「思考は現実化する」――030
自分の現実は自分で創ることを教えてくれたセス――031

不安は消えた
失われたセスへのアクセス――034

シェイラによるテオのチャネリング 036
テオが勧めてくれた瞑想 038
何かがわたしに「呼吸」させている！ 041
突然、鼻がメッセージを描き始める 042
エイブラハム、タイプを始める 044
エイブラハムが語り出す 045
エイブラハムの甘美な体験は進化する 046

エイブラハムとの対話

素晴らしい答えを教えてくれるエイブラハム 048
教師としてのエイブラハム 049
あなたがたの「内なる存在」 052
人間は創造者 053
「すべてであるもの」にとってあなたがたは価値ある存在 054
幸せな生き方への導き 056
「宇宙の法則」の定義 057

Part2

引き寄せの法則 ……061

「引き寄せの法則」とは？――062
思考がすべてを引き寄せる――065
思考はまるで磁石――068
感情という素晴らしいナビゲーションシステム――070
感情を指針に思考の方向をチェックする――072
創造のスピードを速めるには？――073
あなたの欲しいものに関心を向ける――075
小さき者よ、地球へようこそ――077
この「現実」だけが本当の現実ではない――079
強い感情を伴う思考は磁力が強い――080
エイブラハムの創造プロセス・ワークショップ――081
さあ創造のワークショップを始めよう――084
すべての「法則」が宇宙の法則ではない？――087
「引き寄せの法則」の最高の活用法は？――088

勢いのついた創造を逆転できるか？——090
失望を克服する方法は？——092
望まない出来事が世界的に起こっている理由は？——093
医療への関心は病人を増やす？——094
暗い感情の原因を探すべきか？——095
橋の架け方の例は？——096
夢のなかの考えも創造につながるか？——100
他人の善悪を引き受けなければならないか？——101
「悪に抵抗してはいけない」のか？——102
どうすれば自分が本当に欲しいものがわかるか？——105
青と黄色を望んだのに緑がきたが？——108
被害者はどんなふうに泥棒を招き寄せるか？——109
ケンカをやめようと決意すると、ゴロツキに会わなくなる——112
似たものが引き寄せられる？　自分にないものに引かれる？——113
引き寄せたものが不本意なときは？——115
すべては思考でできている？——117
喜びと幸福と調和をもっと得るためには？——118

喜びを求めるのは利己的か?――119
与えるのと受け取るのと、どっちが上?――120
自己中心的だと世界は混乱しないか?――123
苦痛を感じている人を助けるには?――123
楽しい例を示すことが鍵か?――125
ネガティブなことを考えて、前向きでいられるか?――127
幸せを確実にするための言葉とは?――128
成功を測る物差しは何?――132

Part3

意図的な創造の方法論

意図的な創造の方法論……135

「意図的な創造の方法論」の定義――136
思考を向けることで、招き寄せる――138
「内なる存在」と「わたし」のコミュニケーション――140
すべては心地よいか、よくないかのどちらか――142

自分のなかにある指針は信頼できる——143
感情を通じて創造をコントロールする——145
あなたの意図に沿うか、沿わないかが問題——147
次第に強力になる「引き寄せの力」——148
病気のことを話す人は病気になる——149
「望む」ことと「許容し可能にする」ことの微妙なバランス——151
「欠落」ではなく「望み」に焦点を合わせる——153
意図的な創造を促すエクササイズ——154
欲して期待すれば、実現する——156
「意図的な創造のプロセス」の要約——158
現状への関心は、現状を持続させるだけ——160
「いいな」と思う側面から細部へと想像を進める——161
「宇宙の法則」は信じなくても働いている？——162
望まないことが起こらないようにするには？——163
この文明社会には喜びが欠けているのはなぜ？——164
もっと情熱的な欲求を育てるには？——165
信念に反する創造は可能か？——166

過去生の信念は今の人生に影響するか？ 167
他人を心配すると、不幸になる？ 168
過去に他人に設定されたプログラムは消せるか？ 169
「作用点は現在」とは？ 170
最初のネガティブなことはどんなふうに生じたか？ 171
想像とビジュアル化はどう違う？ 172
忍耐は美徳ではない？ 177
量子的飛躍がしたいが？ 178
大きな願望ほど実現は難しいか？ 180
「宇宙の法則」は証明可能か？ 181
なぜ自分の価値を正当化する必要があるか？ 182
行動や仕事はエイブラハムの方程式にどうあてはまるか？ 183
暴力的な場面に遭遇しない方法 185
人々の多様な欲求がどうして満たされるか？ 186
物質世界の人生と見えない世界の人生はどう違うか？ 188
望まない思考が現実化するのを防ぐには？ 189
正しいビジュアル化の方法は？ 190

欲求が具体的すぎると問題か？ 192
過去の思考のまずい部分を消せるか？ 194
悪循環を阻止するには？ 194
二人が同じトロフィーを争う状況は？ 196
非現実的な望みはあるか？ 197
この原則を「悪」に適用できるか？ 198
集団で一緒に創造すると力が大きくなるか？ 199
人がわたしの成功を望まないときは？ 199
勢いのついた流れを成長に生かすには？ 201

Part4
許容し可能にする術 203

「許容し可能にする術」の定義 204
他人の思考から自分を守るには？ 206
わたしたちは他人の行動に脅かされない 208

人生というゲームのルール　209
言葉ではなく人生経験が教える　213
思考を監視するよりも、感情に注意を向ける　214
我慢と「許容し可能にすること」とは違う　215
問題を観察するのではなく、解決策にフォーカス　217
相手を元気づけるには、自分が幸せという実例を見せる　218
欲することと必要とすることの微妙な違い　219
意図的、意識的に楽しく創造する　220
「許容し可能にする術」実践のポイントとは？　221
正邪の見分け方は？　222
誰かが不正をしていたら？　224
望まないことを無視すれば望むことが可能になるか？　225
誰もが「許容し可能にする術」を知りたがっている？　228
「許容し可能にする術」でネガティブに対処するとは？　228
「許容し可能にする」状態になるには？　230
引き寄せるものを選びつつ、軌道修正する　231
過去、現在、未来は一つ　232

不正を「許容し可能に」すべきか？——233
好ましくないことに関心を向ければ、
　ますます好ましくないことが起こる——234
「許容し可能にする術」は健康にも効くか？——235
極端な貧困から快適な豊かさへ——236
「許容し可能にすること」と人間関係——237
自己中心的なのは不道徳か？——238
あなたを否定する原因は向こう側にある——240
誰かが人の権利を侵害していたら？——241
なんによらず欠乏ということはない——243
命を失うことに学びはあるか？——244
死も経験の総体に追加される？——246
過去生を覚えていない理由——247
レイプに影響されないためには？——249
欲しないことには思考を向けない——250
わたしは今、未来への道を敷いている——251
罪もない子どもへの暴力は？——252

人は取り決めを守るべきではないか？――254
振り子はもう後戻りしない――256

Part5 節目ごとの意図確認

節目ごとの意図確認……259
「節目ごとの意図確認プロセス」という魔法――260
「節目ごとの意図確認」で成功できる――262
気が散りやすい現代社会――263
「節目ごとの意図確認」の目的と価値――264
思考への刺激が多すぎるメディア社会――266
混乱から明晰さへ、そして意図的な創造へ――267
一日を節目ごとに分けて意図確認する――268
わたしは多くのレベルで行動し、創造している――269
今日の思考が未来を準備する――270
人生の準備を整えるか、惰性で生きるか？――271

感じているとおりのことを引き寄せる――272
今、わたしが望むものは？――273
「節目ごとの意図確認」……ある一日の例――275
「節目ごとの意図確認」のためのメモ帳を用意――278
達成すべき全体的な目標はあるか？――279
「幸せになりたい」というのは重要な目標か？――280
どうすれば自分が成長したとわかるか？――281
成功の物差しとは？――282
「節目ごとの意図確認」は目的実現を早めるか？――282
瞑想、ワークショップ、そして「節目ごとの意図確認プロセス」の違いは？――284
どうすれば幸せな気分になれるか？――286
周りの人が不幸だったら？――287
思わぬ邪魔が入ったときの「節目ごとの意図確認」は？――289
「節目ごとの意図確認」で使える時間が増える？――290
なぜ、みんなが目的を持った人生を送らないのか？――291
何事にも無関心な人へのアドバイスは？――293
なぜ、人は多くを望まないか？――294

欲求の優先順位とは？——295
創造的な意図は詳細なほうがいいか？——298
「節目ごとの意図確認」は繰り返し行うべきか？——299
「節目ごとの意図確認プロセス」はとっさの対応を妨げるか？——300
「信念と欲求の微妙なバランス」とは？——300
「節目ごとの意図確認」と行動との関連は？——302
最善の行動を見抜く方法は？——303
実現までどれぐらい待てばいいか？——304
共同で創造するときにも「節目ごとの意図確認」を使えるか？——305
意図を相手に正確に伝えるには？——306
労働しなくても豊かになれるか？——308
「就職口が一つ見つかると、次々に求人がある」のはなぜ？——309
養子をとると妊娠するのは？——310
競争にはどんな意味があるか？——310
意志を鍛えるのはよいことか？——311
なぜ、成長を期待しなくなるか？——312
古い考え方や信念、習慣の影響を排除するには？——314

何を望まないかを表明することはかまわないか？――315
ネガティブな考え方を検討する価値はあるか？――316
あなたの欲求は非現実的だと言われたら？――317
「60日ですべてを達成する」ことはどうして可能か？――317
さあ、あなたはこれで理解できた！――319

訳者あとがき　321

Part 1

エイブラハム体験への道

イントロダクション

ジェリー・ヒックス

エイブラハムが教えてくれた真実

この本が書かれたのは、皆さんにわかりやすい指針を示し、人間本来の幸せな状態を実現する「宇宙の法則」と実践的なプロセスを紹介するためである。この本をお読みになれば、わたしが生涯にわたって積み重ねてきた質問に対する力強くて正しい回答を知るというユニークでうれしい体験ができるだろう。そして、この喜びを基本としたスピリチュアリティに関する実践哲学を活用すれば、それぞれに完璧な人生を生きようと思っているほかの人たちを導く助けにもなれるはずである。

わたしは多くの人たちから、「自分もいろいろな意味であなたと同じ質問を抱いていたよ」と言われた。だから皆さんも明晰で輝かしいエイブラハムの答えを知れば、長年の問いの答えが見つかって心から満足すると同時に、わたしたち（エスターとわたし）と同じように、人生への新たな情熱がわき起こるのを感じるだろうと思っている。そして新しい人生観を基にして、ここで紹介されているプロセスを実践すれば、自分が望むことは、したいことでも、なりたい自分でも、手に入れたいものでも、すべて希望どおりになると気づくだろう。

物心ついて以来、次から次へと際限なく問いが浮かんでくるのに、わたしにはどうしても満足できる答えが見つからなかった。わたしは絶対的な真実に基づく人生哲学を発見したかった。だがエイブラハムがわたしたちの前に現れて――エスターとわたしに力強い「宇宙の法則」を明かし、イデオロギーと理論を実際的な成果に結び付ける効果的なプロセスを教えてくれて――からは、人生でさまざまな本や教師に出会い、さまざまな経験をしてきたのはみんな、エイブラハムを発見するために必要な道筋だったのだと思うようになった。

今皆さんには、この本を読んでエイブラハムの教えの価値を自分自身で発見するという大きなチャンスが開かれている。わたしがそう思うのは、エイブラハムの教えによって自分の人生がどれほど充実したかを、わたし自身がよく知っているからだ。それに皆さんも

（わたしの場合と同じように）、人生においてこの情報を受け取る準備が整ったからこそ、この本を手にされたのだと思うからである。

この本を読んでエイブラハムが教えるシンプルで力強い「法則」と実践的なプロセスを発見し、「自分が望む」すべての体験を「意図的に」引き寄せ、望まない体験はすべて手放そうとしている皆さんの熱意を、わたしは今ひしひしと感じている。

わたしが出会った独断的な宗教的グループ

わたしの両親は特に宗教的というわけではなかった。だから、なぜ自分があれほど熱心に教会を探したり宗教的な教義を学ぼうとしたりしたのか、本当はよくわからない。しかし大きくなるにつれて、その気持ちはますます強くなっていった。自分の奥深いところで感じているどうしようもない空しさを埋めたかったのかもしれない。あるいは自分こそ「真理」を発見したと確信する宗教心の篤い人たちが、周囲に大勢いたせいかもしれない。

生まれてから14年の間に、わたしは6つの州を転々として18回引っ越しをした。それで実にさまざまな哲学を知る機会があった。わたしは教会から教会へと訪ね、そのたびに「この扉の向こうに探し求めるものが見つかりますように」と心から願った。だが一つの宗教から別の哲学グループへと移るたびに、失望は大きくなっていった。どれもみな「自分こそ」が正しくてほかはすべて「間違っている」と断言したからだ。そんなわけで、自分が探し求めている答えを見つけられず、わたしの心はどんどん沈んでいった（エイブラハムの教えと出会って初めて、そのような哲学的な対立について真に理解することができたし、それに対して暗い感情を抱くこともなくなった）。答えを求めるわたしの旅は続いた。

ウィジャ・ボードが示した言葉

ウィジャ・ボード（西洋版こっくりさん）については実際に体験したことはなかったが、うさんくさいという気持ちが強かった。よくいえばただのゲーム、悪くするとたちの悪いインチキではないか、と思っていたのだ。そこで、1959年にワシントン州スポーケンでウィジャ・ボードをやってみようと友達に誘われたとき、最初はばかばかしいと断った。だが熱心な誘いを断りきれず、初めて参加してみて、本当に不思議なことが起こり得るのだと気づいた。

人生で生じたさまざまな問題の答えを求め続けていたわたしは、ウィジャ・ボードに尋ねた。「どうすれば、本当の善人になれますか?」。するとボードはものすごいスピードでアルファベットを綴った。「READ、読め」と。「読めって何を？」わたしは聞いた。すると、「BOOKS」（本）という答えが出た。次にわたしは聞いた。「どんな本？」今度は（やっぱりものすごいスピードで）「ANYANDALLBYALBERTSCHWEITZER」（アルベルト・シュヴァイツァーの本ならなんでも全部）という答えが現れた。友人はアルベルト・シュヴァイツァーのことは聞いたことがなく、わたしもほんの少ししか知識がなかったので、控えめにいってもかなり強い好奇心がわき起こった。それでこの不思議な方法で自分の意識のなかに現れた人物は何者なのか、調べてみようと思った。

見つけた最初の図書館にはアルベルト・シュヴァイツァーの著書がたくさんあったので、片っ端から読んでみた。そして自分の多くの問いに対する具体的な回答は見つからなかったにしても、『歴史的イエスを求めて』という本に、自分がそれまで考えていた以上に物事を見る方法はたくさんあるのだ、ということを教えられた。

ウィジャ・ボードからは力強い悟りは得られなかったし、問いに対する答えも見つからなかったので、今度こそ力強い悟りとすべての問いに対する回答への窓が開かれるのではないかという期待は砕かれた。だが、実際に体験するまでは信じられなかった知的コミュニケーションの道があり得る、という思いは、確かにこのときに芽生えた。

ウィジャ・ボードは自分でやってもうまくいかなかったが、エンターテイナーとして旅を続けている間に、大勢の人に試してもらった。そして三人だけ、成功した人を見つけた。オレゴン州ポートランドの友人たちと一緒に（この人たちはウィジャ・ボードのメッセージを知るのに成功した）「見えない世界の存在」と何百時間も「話をした」。このとき現れた海賊や聖職者、政治家、ラビたちとの会話は実に楽しくて愉快だった！　ちょうど見解も生き方も知性もさまざまな多数の人たちとパーティで出会って、おもしろい会話を交わしているような感じだった。

わたし自身はウィジャ・ボードから人生に役立つことを——あるいは人に伝えたいと思うようなことを——何も学ばなかった、と言わなければならない。そこである日、ウィジャ・ボードとは縁を切り、それきり関心を持たなくなった。だがこの注目すべき経験——特に本を読めと勧めてくれた知的な何者か——は、今の自分の理解をはるかに超えた何かが「あちら」に存在することを気づかせてくれたし、それゆえに問いの答えを知りたいという思いはいっそう強くなった。宇宙の働きや、わたしたちはなぜ生まれてきたのか、どうすればもっと楽しい人生を送れるのか、そしてどうすれば生きる目的を達成できるのか、という質問への実際的な答えを知っている「知的な何者か」と交流することが可能だと信じるようになっていた。

わたしの問いはますます増えていたが、それに対する現実的な答えが初めて見つかったのは、確か1965年に各地の大学をまわってコンサートを開いていたとき、たまたま出会った素晴らしい本のなかだった。その本はモンタナのどこかで泊まった小さなモーテルのロビーのコーヒーテーブルに載っていた。手にとって表紙の『思考は現実化する――ナポレオン・ヒルの決定版・成功哲学』（騎虎書房）という文字を見たとき、矛盾した思いがわき起こったのを覚えている。

本の題名には違和感を覚えた。そういう人は多いと思うが、わたしも自分が簡単に金儲けができるたちではなかったから、金持ちにはあまりいい印象を持てなかった。だがこの本には何か抵抗しがたい力があり、12ページぐらい読み進んだときには、全身がぞくぞくと総毛立つような興奮を感じた。

振り返ってみると、このときのような理屈ぬきの肉体的な感覚は非常に価値のあるものに出会った証拠だ、ということがよくわかる。だがその当時でも、自分の思考がとても重要で、人生経験は当人の思考の内容を反映している、ということをこの本が悟らせてくれたと感じた。実に説得力があっておもしろい本だったので、自分でもこの内容を実践してみよう、という気持ちになった。そして実行した。

本の教えは非常にうまく実践できた。それどころか、わたしはごく短期間に多国籍ビジネスを立ち上げ、数千人もの人たちの人生に有意義な影響を及ぼす機会を得た。さらに、自分が学んだ原則を教えることも始めた。だがわたしにとってナポレオン・ヒルの著書は人生を変えた計り知れないほど貴重な本だったのに、わたしが指導した大勢の人たちには、いくら多くのコースに参加して学んでも、それほど劇的な人生の変化は起こらなかった。そこでわたしは、引き続き具体的な問いに対する答えを探し続けることになった。

自分の現実は自分で創ることを教えてくれたセス

抱き続けていた問いの答えを探す旅はまだ続き、目的を達成したがっている人たちをもっとうまく助ける方法を見つけたいという思いもますます強くなっていた。だが、それはひとまずおいて、わたしはアリゾナ州フェニックスでエスターと新しい生活に入った。数年の交際ののちに1980年に結婚してみると、二人は信じられないほど相性がよかった。新しく住みついた街を探索したり、新しい家庭を築いたり、人生をともにしたりするとはどんなことかを発見して、楽しく素晴らしい日々が過ぎていった。エスターはわたしほど知識欲が激しくなく、また人生の問いに対する答えを渇望してはいなかったが、生きることに熱心で、いつも幸せで、伴侶としてとてもすてきな人だった。

ある日、図書館でジェーン・ロバーツという作家の『セスは語る——魂が永遠であるということ』(ナチュラルスピリット)という本を見つけた。本棚から抜き出す前から、わたしはまたもぞくぞくと全身が総毛立つような興奮を感じた。なぜそんな興奮を感じるのか、どんな内容が書いてあるのかと、わたしはページをめくった。

エスターと一緒になって、わたしは二人の思いが一致しないことが一つだけあるのに気づいた。エスターはウィジャ・ボードの話を聞きたがらなかったのだ。わたしがとても愉快な(と自分では思う)体験を話し始めようとすると、エスターは部屋を出てしまう。彼女は、何事によらず、非科学的なことには強い拒否感を覚えるように育てられていた。わたしは彼女の気持ちをかき乱したくはなかったので、少なくとも彼女のいるところではその種の話はしないことにした。だから『セスは語る……』についてもエスターが聞きたがらなかったのは意外ではなかった。

これは一種の催眠状態になった著者ジェーン・ロバーツを通じて、セスという見えない世界の人物が口述した本で、読者に大きな影響を与えた。セスの一連の本はとても刺激的でおもしろく、わたしは自分の多くの問いに対する答えの一部に通じる道がここにありそうだ、と思うようになった。だが、エスターはこれらの本を嫌がった。見えない存在が口述した本だと聞いただけで不安になり、催眠状態でセスの言葉を語る裏表紙のジェーンの写真を見るとますます怖がった。

「そういう本を読みたいなら読んでもかまわないけれど、寝室に持ち込むのだけはやめてくださいね」とエスターは言った。

わたしは常に果実を見て木を判断すべきだと思ってきた。だから、いろんなことを判断するときには自分の直感を大事にする。セスの本にはなるほどと思うところがたくさんあった。それが「どこから」きたのか、「どんなふうに」現れたのか、そんなことはどうでもよかった。要するに自分が活用できる貴重な情報が見つかったと感じたのだ。またその情報を人に伝えて活用してもらうこともできるだろう、と。わたしはワクワクしていた！

不安は消えた

エスター・ヒックス

失われたセスへのアクセス

セスの本にわたしは強い反感を覚えた。だから、ジェリーが本をわたしに押しつけなかったのはとても賢明だし、思いやりのあることだったと思う。見えない世界の存在との接触と考えただけで、わたしは非常に落ち着かない気分になった。そこでわたしの気持ちを乱したくないと思ったジェリーは、わたしがまだ眠っている早朝に起きてセスの本を読むのが常だった。その後ジェリーはだんだんと、特に興味を持った事柄を穏やかに話題にするようになり、わたしの抵抗感も徐々に薄れて、聞いたことの価値がわかるようになった。ジェリーは少しずついろいろな考え方を紹介してくれたので、わたしもセスの本のシリーズに心から関心を持ち始めた。やがて、ジェリーがセスの本の一部を読んでくれるのが毎朝の習慣になった。

わたしが不安や反感を抱いていたといっても、別に個人的に嫌な体験があったわけではなく、人がいろいろ言うのを聞いていたせいだったし、その人たちもまたどこかで何かを聞きかじっていたのだろう。振り返ってみれば、あの不安や反感にはまったく根拠がなかったと思う。いずれにせよ、自分の体験ということでいえば……すべてはよいことばかりだと気づいたとき、わたしの姿勢はがらりと変化したのだった。

時がたち、ジェーンがセスから情報を受け取るプロセスへの不安が鎮まったとき、わたしはセスの本のシリーズをとても素晴らしいと思った。それどころか非常に幸せな気分でセスの本にのめりこんでいたので、いつかジェーンと夫のロバートに――それにセスにも！――会いにニューヨークに行こうとまで思ったくらいだ。昔のことを考えれば、見えない世界の存在に会いたいと思うなんて、びっくりするほどの大変化だった。だが著者の電話番号は公表されていなかったので、どうすれば会いにいけるのかわからずにいた。

ある日、アリゾナ州スコッツデールの書店の隣にある小さなカフェでランチをとり、ジェリーが買ったばかりの本をぱらぱらめくっていたところ、近くに座っていた見知らぬ人に声を掛けられた。「セスの本をどれか、お読みになったことがありますか？」

わたしたちは耳を疑った。わたしたちがセスの本を読んでいるなんて誰にも話したことがなかったからだ。すると見知らぬ男性はこう続けた。「ジェーン・ロバーツは亡くなりました。ご存じでしたか?」

それを聞いてビックリして、目に涙があふれてきたのを覚えている。まるで実の姉が亡くなったと突然知らされたような衝撃だった。わたしたちはがっくりした。もうジェーンとロバートに、あるいはセスに、会うすべがなくなったと気づいたからだ。

シェイラによるテオのチャネリング

ジェーンの死を聞いてから1日か2日して、友人で仕事仲間でもあるナンシーと夫のウェスが夕食にやってきた。「よかったら、このテープを聞いてもらいたいの」と、ナンシーはわたしの手にカセットを載せながら言った。二人の態度にわたしはいぶかしいものを感じた。なんだか様子が変だった。それればかりかわたしは二人に、セスの本に出会ったときのジェリーに感じたのと同じものを感じた。話したくてたまらない秘密があるのだが、でも話したらどんな反応をされるか心配、というあの雰囲気だ。

「なんのテープなの?」わたしたちは尋ねた。

「チャネリングなのよ」ナンシーが小声で答えた。

わたしもジェリーも、そういう意味で「チャネリング」という言葉を聞いたのは初めてだったと思う。「『チャネリング』って、どういうこと?」と、わたしは聞いた。

ナンシーとウェスの二人が、ちょっととりとめのない説明をしてくれたのを聞いて、ジェリーとわたしはセスの本が書かれたのと同じプロセスを指していると気づいた。「その人はシェイラという名前でね」と二人は続けた。「テオという存在に代わって話をするの。そのシェイラがフェニックスに来るのよ。だからアポイントを取れば話ができるんです」

わたしたちはアポイントをとることにした。そのときのワクワクした気分を今でも思い出す。わたしたちはフェニックスにある、フランク・ロイド・ライトが設計したとても美しい邸でシェイラに会った。真っ昼間で、得体の知れない不気味な感じはぜんぜんなかったのでほっとした。すべてがとても心地よく、楽しかった。席に着いたわたしたちをテオが「訪れ」たとき(いや、「ジェリー」を訪れたとき、というべきだろう——わたしはこのときひと言もしゃべらなかったはずだから)、わたしは感動しっぱなしだった!

ジェリーは疑問をたくさん書きつけたノートを持っていた。6歳のころから抱き続けてきた疑問だ。彼は非常に興奮して次から次へと質問し、時間内にできるだけたくさんの質問をしたくて、ときには答えを途中でさえぎって次の質問をしたくらいだった。所定の30

分はあっというまに過ぎ、わたしたちは驚嘆していた！

「明日も来ていいですか？」わたしは尋ねた。わたしにもテオに聞きたい質問がたくさんあったからだ。

テオが勧めてくれた瞑想

翌日再び訪れたとき、わたしはテオに「目標に早く到達するためにはどうすればいいか」とシェイラを通じて尋ねてみた。するとテオは言った。「アファーメーション」。それから、わたしに素晴らしい言葉を与えてくれた。「わたしエスター・ヒックスは『聖なる愛』によって、わたしというプロセスを通じて悟りを求める存在たちと出会い、引き寄せる。そして今度はその分かち合いが双方を高めるだろう」と。

ジェリーとわたしは「アファーメーション」については知っていたし、既に活用もしていた。それでわたしは尋ねた。「ほかにはありませんか？」。テオは答えた。「瞑想」と。わたしの個人的な知り合いには瞑想する人はいなかったので、瞑想と聞いてとても戸惑った。まして、自分が瞑想するなんて考えられもしなかった。ジェリーは、瞑想と聞いて連想するのは、自分の人生はどこまでひどくなるかしれないが――どれほどの苦痛や貧困にさいなまれるかしれないが――それでもなお生きられるということを見つめる人たちだと言った。わたしのほうは、瞑想とは熱い石炭の上を歩くとか、釘を植えたベッドに横たわる、一日中片足で立ったまま片手で寄付を乞うというのと同じような奇妙な行為だ、という印象を持っていた。

それでわたしはテオに尋ねた。「あなたのおっしゃる『瞑想』とはどういうことですか？」テオは答えた。「毎日15分、楽な服装で、静かな部屋に座り、呼吸に関心を集中すること。そのとき心は必ずさまよい出すから、さまよい出した心に浮かぶ考えはただ放っておいて、また自分の呼吸に関心を引き戻しなさい」。それならたいして奇妙でもないわね、とわたしは考えた。

それからわたしは、14歳になる娘のトレーシーもテオに会わせに連れてくるべきだろうか、と聞いた。すると答えはこうだった。「彼女が来たがるなら。でも、それは必要ではない。あなたもチャネラーだから」。わたしはまさかと思った。それまでそれらしいことはいっさいなかったのに、自分にチャネリングなんて不思議なことができるとは――自分がそれほどの重要人物だとは――とても思えなかった。そこでテープは止まった。予定時間が終了したのだ。

あっというまに時間が過ぎた気がした。まだ答えをもらっていない質問のリストを見ていると、テオとのやり取りの間、テープレコーダーを操作したりメモをとったりしていたシェイラの友人のスティーヴィがわたしの物足りなさに気づいたらしく、こう聞いてくれた。「あと一つだけ質問をしてみますか？『あなたの』スピリチュアルガイドの名前を知りたくはありませんか？」

あと一つと言われたときに心に浮かんだのは、そういう質問ではなかった。わたしは「スピリチュアルガイド」という言葉さえ聞いたことがなかった。でもなんだかいい響きだと思ったので、「ええ、わたしのスピリチュアルガイドはどなたですか？」と聞いた。

テオは言った。「それはあなたに直接明かされると聞いている。あなたには声が聞こえるだろう。それでわかる」

わたしたちは最高の気分でその美しい邸をあとにした。テオはわたしたちに一緒に瞑想しなさいと勧めた。「あなたがたはとても相性がいいから、一緒に瞑想したほうが力が強くなるだろう」と。それでまっすぐにうちに戻ったあと、テオの勧めに従って（いちばん楽な服装である）バスローブを着てリビングのカーテンを閉め、腰を下ろして瞑想（それがどんなものであれ）をすることにした。わたしは「これから毎日15分間瞑想しよう、そしてスピリチュアルガイドの名前を知るんだわ」と考えたことを覚えている。一緒に初めての瞑想をすることには二人ともちょっと違和感があったので、中間に飾り戸棚を置いてお互いに見えないようにして、それぞれ大きなウィングバックチェアに座った。

何かがわたしに「呼吸」させている！

瞑想についてのテオの指示はとても簡単だった。「毎日15分、楽な服装で、静かな部屋に座り、呼吸に関心を集中すること。そのとき、心は必ずさまよい出すから、さまよい出した心に浮かぶ考えはただ放っておいて、また自分の呼吸に関心を引き戻しなさい」

そこでタイマーを15分にセットし、座り心地のいい大きなイスに腰を下ろして、呼吸に関心を集中した。吸って、吐いて、吸って、吐いてと呼吸を数え始める。ほとんどすぐにしびれるような不思議な感覚に襲われた。それはたまらなく快い感覚で、実にいい気持ちだった。

やがてタイマーが鳴り、わたしはびっくりした。ジェリーや部屋が意識に戻ってきたところで、わたしは「もう一度、やりましょうよ！」と叫んだ。そしてまたタイマーを15分にセットし、再び今まで知らなかった楽しい解放感に浸った。さらに信じられないことに、自分は「呼吸させられている」と感じたのだ。まるで愛情に満ちた力強い何かが、わたしの肺に息を吹き込んだり引き出したりしているような感じだった。今思えば、あれがエイブラハムとの最初の力強い接触だったのだが、そのときにわかったのは、経験したことのないほど大きな愛情が身体全体を流れている、ということだった。ジェリーはわたしの呼吸が変化したのを聞きつけ、飾り戸棚をまわって見に来た。彼が見たのは恍惚としているわたしだった。

またタイマーが鳴り、再び周囲に意識が戻ったとき、かつて感じたことのないエネルギーがわたしの身体を通っていくのを経験した。生涯で最も驚くべき体験で、数分間、歯が（がたがたではなく）かすかに震え続けていた。

その驚くべき一連の出来事を始まりとして、今でも信じがたい気がするエイブラハムとの出会いに導かれたのだった。それまでずっと抱いてきた、体験的な根拠も理由もない不安や反感は消え、代わりに「ソースエネルギー」との愛に満ちた個人的な出会いが生まれた。どんな本を読んでも神とは何者なのかという真の理解は得られなかったが、自分が経験したものがきっと神であるということだけは、はっきりとわかった。

突然、鼻がメッセージを描き始める

最初の瞑想で力強い感動的な体験をしたわたしたちは、毎日15分から20分は瞑想をしよ

うと決めた。それからほぼ9ヶ月。ジェリーとわたしはそれぞれウィングバックチェアに座り、黙って静かに呼吸しつつ「安らぎ」を感じる瞑想を続けた。ところが1985年の感謝祭の直前に瞑想していたとき、それまでになかったことが起こった。わたしの頭がゆるやかに動き始めたのだ。陶然とした気分のなかで自分の頭が静かに動いているのを感じるのはとても心地よかった。宙を飛んでいるような気持ちといってもいいかもしれない。

それがなんなのかはあまり考えなかった。ただ自分の意志でしているのではないこと、たとえようもなく気持ちのいい経験であることだけを感じた。2、3日の間、瞑想するたびにわたしの頭はゆるやかに動いた。そして3日目だったか、わたしは頭がただ動いているのではないことに気づいた。黒板に字を書くように鼻が文字を綴っていたのだ。びっくりしてわたしは叫んだ。「ジェリー、わたしの鼻がアルファベットを書いているわ！」

なんだかすごいことが起こっている、誰かがコミュニケーションをしたがっている、と気づいたとき、全身がぞくぞくするほどの興奮を感じた。あとにも先にもあれほど強烈なスリルに全身がおののくのを感じたことはない。そして、言葉が綴られた。「わたしはエイブラハム。あなたのスピリチュアルガイドだ。あなたを愛している。あなたと一緒に活動するためにやってきた」

ジェリーがノートを取り出し、わたしの鼻がぎこちなく伝えるすべてを記録し始めた。

エイブラハムは文字を一つずつ綴ってジェリーの質問に答え始め、ときにはそれが何時間にも及んだ。こういうやり方でエイブラハムと接触できたことに、わたしたちはとても興奮した！

エイブラハム、タイプを始める

この接触方法はぎこちないし時間がかかったが、ジェリーはなんとか質問の答えを得ていたし、わたしたちのどちらにとってもそれは最高に楽しくてワクワクする出来事だった。そこでほぼ2ヶ月ほど、ジェリーが質問をするとエイブラハムがわたしの鼻の動きで言葉を綴って答え、そのすべてをジェリーが書き取った。ところがある晩、ベッドに横になっていると、わたしの手がジェリーの胸を軽く叩き始めた。わたしはビックリして言った。「わたしじゃないのよ。きっと彼らだわ」。ふいにわたしはタイプしなくちゃ、と強く感じた。

タイプライターの前に座ってキーボードに手を載せたとたん、頭が動いて鼻が宙に文字を書き出したときと同じように、わたしの両手は勝手にキーボードの上を動き出した。その動きはものすごく速く、しかも激しかったので、ジェリーは驚いてしまい、わたしの指が折れそうになったらつかんで止めようと、すぐそばに立って待機していた。彼によると、わたしの手の動きは目に見えないほど速かったという。でも心配する必要はなかった。わたしの指はすべてのキーに何度も何度も触れたあと、言葉をタイプし始め、ほぼ1ページ近くを次の言葉で埋め尽くした。「わたしはタイプしたいわたしはタイプしたいわたしはタイプしたい」。大文字もなければ単語と単語のあいだのスペースもなかった。そのあと、わたしの手はゆっくりしたペースできちんとメッセージを打ち出し、毎日15分、タイプライターの前に座ってもらいたいと伝えた。これがそれから2ヶ月間のコミュニケーションの方法になった。

エイブラハムが語り出す

ある日、わたしたちは左右を大型トレーラーに挟まれながら、小さなキャデラック・セビルで高速道路を走っていた。高速道路のそのあたりは路面の勾配が適切ではないようで、3台が並んでカーブし始めたとたん、両隣のトレーラーがわたしたちの車線に近づいてきた。このまま行くと両側から押しつぶされかねない。その緊張の一瞬、エイブラハムが語り出した。わたしの顎がこわばり(あくびをしかけたときのような感じだった)、それから勝手に言葉が飛び出したのだ。「次の出口で降りなさい」。わたしたちはその言葉に従った。立体交差下の道路脇に車を止め、ジェリーはそれから何時間もエイブラハムと話した。なんとエキサイティングだったことか！

エイブラハムの言葉の仲介役になることについては、日がたつにつれて少しずつ慣れはしたが、でもこのことは二人だけの秘密にしておきたい、とジェリーに頼んだ。人が知ったらなんと思うか不安だったのだ。だが、だんだんと少数の親しい友人たちがエイブラハムとの対話のために集まるようになり、約1年後にわたしたちはエイブラハムの教えを人々に公開しようと決めた。そしてその活動は今も続いている。

エイブラハムの波動の仲介者という体験は、現在でも日々進化している。セミナーを開くたびに、エイブラハムの明晰さと知恵と愛に、ジェリーもわたしもただただ感嘆する。

あるとき、わたしはこんなことに気づいて大笑いした。「ねえ、あんなにウィジャ・ボードを怖がっていたのに、今じゃ『わたしが』チャネラーなんですものね」

エイブラハムの甘美な体験は進化する

エイブラハムとの共同作業をわたしたちがどう感じているか、適切に表現する言葉がどうしても見つからない。ジェリーは以前から自分が何をいちばん望んでいるかをちゃんと知っていたようだし、エイブラハムに会う前からかなりの望みを実現する方法を見つけていた。だがその彼も、エイブラハムによってこの世の人生の目的に気づき、理解できた、そのおかげで、どうすれば欲しいものが得られるか（あるいは得られないか）、ということがこれ以上ないほど明確になったたし、完璧に人生をコントロールできる知識を得たという。「間が悪い」とか「ツイていない」なんてことは決してないし、誰かが動かしている潮に流される必要もない。それにわたしたちはまったく自由で……自分の体験の絶対的な創造者だ。そして、そのことを心から愛している！

エイブラハムは、夫とわたしがこの教えを伝えるのにぴったりのペアだと説明してくれた。問いに対する答えを見いだしたいというジェリーの強い欲求がエイブラハムを引き寄せ、一方わたしはその答えを受け取るために心を鎮め、抵抗を捨てることができたからだ。

エイブラハムがわたしを通じて語り出すのに、たいした手間はかからない。わたしはこう考えるだけでいい。「エイブラハム、あなたの言葉をはっきりと語りたいのです」。それから呼吸に注意を集中する。すると数秒のうちにエイブラハムの明晰さと愛と力が自分のなかにわき起こり、みなぎるのを感じる。そして、エイブラハムが語り出す……。

エイブラハムとの対話

ジェリー・ヒックス

素晴らしい答えを教えてくれるエイブラハム

こうしてエスターを介したエイブラハムとの冒険は続いており、人生経験から生じる無限とも思える疑問に対する回答の、これまた無限のリソースを発見したわたしは、今も興奮に浸っている。

エイブラハムと出会って最初の数ヶ月、エスターとわたしは毎日時間を割いてエイブラハムと話し、わたしはどんどん増えていく疑問を次々に尋ねた。やがてエスターは他者が彼女の心を鎮め、彼女を通して「限りない知性」を伝えるのに慣れてきた。そのころからわたしたちは、人生のいろいろなことについてエイブラハムと語り合うために集まる友人知人の輪をだんだん広げていった。

わたしはどうしても答えを知りたかった疑問を、初めからエイブラハムにぶつけた。その最初のころの疑問に対する回答には、きっと皆さんも満足すると思う。もちろんエイブラハムにわたしの疑問をぶつけたあの決定的なとき以来、わたしたちは大勢の人々に出会った。その人たちはわたしの疑問をさらに深め、自ら重要な疑問を付け加え、エイブラハムはそれらの問いに愛と輝く知性で答えてきた。だが、エイブラハムとの対話はまず次のようなところから始まった。

（エスターがどうやってエイブラハムの言葉を語るのか、本当のところわたしにはよくわからない。見ていると、エスターは目を閉じて数回ゆっくりと深呼吸する。それからしばらくは穏やかにうなずいていて、次に目を開くと、以下のようにエイブラハムが直接わたしに語り掛ける）

教師としてのエイブラハム

エイブラハム　おはよう！　あなたがたを訪れる機会を得てうれしく思う。このコミュニケーションを可能にしてくれたエスター、それに励ましてくれたあなたにもお礼を言おう。わたしたちは、この交流には非常に大きな価値があると考えていた。この交流は物質世界にいる友人たちにわたしたちを紹介するチャンスになるだろう。だが、この本は単にあなたがたの物質世界にエイブラハムを紹介するだけではなく、物質世界における「見えない世界」の役割を紹介するチャンスにもなるはずだ。あなたも知っているとおり、この二つの世界は分かちがたく結び付いている。この二つの世界を切り離すことはできない。

さらにこの本を書くことによって、わたしたちは、物質世界の身体に宿るはるか以前にあなたがたとした約束を果たすだろう。わたしたちエイブラハムはこちらに留まって、より広く、より明晰で、したがってより強力な「見えない世界の視点」を維持すると約束し、あなたがたジェリーとエスターは素晴らしい物質世界の身体に宿り、思考と創造の最先端に立つと約束した。そして人生経験を通じてあなたがたに明確で強力な欲求が芽生えたとき、力強い「共同創造」を目的として再会しよう、と。

ジェリー、あなたが（明暗著しいさまざまな人生経験のなかで慎重に準備し練り上げて）長いリストにした質問に、わたしたちはいよいよ答えようとしている。物質世界の友人に伝えたいことがたくさんあるからだ。あなたがたという存在の素晴らしさを理解してもらいたいし、あなたがたが本当は何者で、なぜこの物質の次元にやってきたのかを理解してもらいたい。

物質世界の友人に「見えない」世界の性質を持つ事柄を説明するのは、いつだって実に興味深い。なぜなら、わたしたちが伝えるすべては、あなたがた物質世界のレンズを通して翻訳されなければならない。言い換えればエスターは無意識のレベルでわたしたちの思考を電波のように受け取り、それを物質世界の言葉や概念に翻訳する。ここで物質世界と見えない世界が完全に融合する。

わたしたちは見えない世界の領域から語っており、その領域を理解しようとするあなたがたの手助けができる。だからこそ、あなたがたが本当は何者であるかをもっとはっきりと理解する力になれる。あなたがたは実はわたしたちの延長なのだから。

ここにいるわたしたちは大勢だ。意図と欲求を同じくする者が集まっている。あなたがた物質世界の環境では、わたしたちは「エイブラハム」とよばれ、「教師」つまりより広く理解し、その広い理解へと他者を導く者として知られる。わたしたちは本当は言葉では教えられないこと、人生経験だけが教えてくれることを知っているが、しかし人生経験とその経験を明らかに説明する言葉が一つになれば、学びの体験はさらに強化される。こういう姿勢で、わたしたちはこれらの言葉を語っている。

宇宙のすべてに――見えない世界のすべてと物質世界のすべてに――作用する「宇宙の法則」がある。これらの法則は絶対で、永遠で、偏在する（どこにでも存在する）。この法則をきちんと把握し、実践的に理解すれば、あなたがたの人生経験はとても確実なものになる。それどころか、この「法則」の意識的、実践的知識を持つ者だけが、自分自身の人生経験の「意図的な創造者」になれるのだ。

あなたがたの「内なる存在」

あなたがたは確かに見てのとおり、物質世界の環境のなかの「存在」だ。しかし実は、物質世界の目で見るよりはるかに大きな存在でもある。本当はあなたがたは「見えないソースエネルギー」の延長でもあるのだ。言い換えれば、そのもっと広やかで古くて賢い「見えない」あなたがたというソースエネルギーが一点に集中し、映像を結んでいる。その映像が、今あなたがたが知っている自分という物質世界の存在なのだ。あなたがたのこの「見えない」部分を、わたしたちは「内なる存在」とよぶ。「物質世界の存在」はよく自らを死んだとか生きているとか考え、その考え方のなかで、自分はこの物質世界の身体に宿る前には「見えない領域」にいたし、物質世界における死ののちにはその「見えない領域」に戻るのだろうと思う。だが生きている今もその「見えない部分」が力強く存在し、「見えない領域」に焦点を定めていて、その視点の一部が物質世界の視点と「現在の」身体に流れ込んでいることを理解している人はほとんどいない。

あなたがたが本当は何者であるか、そしてどうすれば物質世界の身体に宿った目的を知ることができるかを真に理解するためには、「見えない部分」と「見える部分」という両方の視点とその相互関係を理解することが不可欠だ。人によってはこの「見えない部分」を「ハイヤーセルフ」（より高い自己）あるいは「魂」とよぶ。よび方はどうでもいいのだが、あなたがたの「内なる存在」を認識することは非常に重要だ。あなたとあなたの「内なる存在」の関係を意識的に理解して初めて、真の導きが得られるからである。

人間は創造者

わたしたちはあなたがたの信念を変えるために来たのではなく、あなたがたが「永遠なる宇宙の法則」を思い出し、「意図的な」創造者になれるようにするために来た。あなたがたは創造者として生まれたのであり、あなたがたが現に得ているものを経験のなかに引き寄せているのはその創造者以外にはない。すべては、あなたがた自身が行っているのだ。

わたしたちは、あなたがたに何かを信じさせるために来たのではない。あなたがたが信じていることで、わたしたちが信じさせたくないと思うことは何一つない。地球というこの素晴らしい物質世界の場所を眺めれば、あなたがたが実に多様な信念を持っていることがわかる。その多様性があればこそ、完璧なバランスが保たれているのである。

わたしたちは「宇宙の法則」をシンプルな形で示してあげよう。さらに、あなたがたが大切だと思う目的を達成するために、その「法則」を意図的に利用する実践的なプロセスも教えよう。あなたがたは自分の人生経験を創造的にコントロールできることに気づいて大いに楽しむだろう。そして何よりも大きな価値は、あなたがたが「許容し可能にする術」を学んだときに見いだす自由にある。そのことをわたしたちは知っている。

あなたがたのなかのいちばん大きな部分は、既にこのすべてを知っている。その知っていることをあなたがたに思い出させるのが、わたしたちの仕事だ。あなたがたにその気があれば、この言葉を読んで一歩一歩「目覚め」に——「全的な自分」の再認識に——導かれるとわたしたちは期待している。

「すべてであるもの」にとってあなたがたは価値ある存在

「すべてであるもの」にとってあなたがたは非常に大きな価値があるという理解、そこにあなたがたが立ち戻ること、それがわたしたちの願いだ。あなたがたは真に思考の「最先端」にあって、すべての思考、言葉、行為を「宇宙」に付け加えているのだから、「すべてであるもの」にとってあなたがたは大きな価値がある。あなたがたは遠くから追いつこうとしている劣った「存在」ではなく、「宇宙」のあらゆる資源（リソース）を思うままに使える「最先端」の創造者だ。

わたしたちはあなたがたに自分の価値を知ってほしいと思う。それがわからなければ、本当はあなたがたのものである宝物を引き寄せることはできない。自己を高く評価できなければ、当然受け継ぐはずの間断ない喜びを自分に否定することになる。「宇宙」は今もあなたがたの経験のすべてから利益を得ているのだから、あなたがたも今ここで自分の働きの果実を収穫してほしい。それがわたしたちの願いだ。

物質世界の身体に宿る以前に、あなたがたはこういう人生経験をしたいという目的を持っていた。その人生経験へと導く鍵をきっと発見するだろう。わたしたちは、あなたがたが人生の目的を達成する助けをしよう。それがあなたがたにとって大事だということを、わたしたちは知っている。なぜなら、あなたがたがこう尋ねる声が聞こえるから。「わたしはなぜ、ここにいるのでしょうか？　どうすれば何が正しいかを知ることができるのでしょう？」。わたしたちはその問いのすべてに詳しく答えるためにここにいる。

さあ、質問をしてごらん。

ジェリー　エイブラハム、わたしが望んでいるのは、自分の人生経験を意識的にコントロールしたいと願う人たちのために書かれた入門書です。その1冊に十分な情報と指針が盛り込めればいいと思います。そうすれば読者はすぐにその考え方を活用できるし、すぐにもっと大きな幸福というか「幸せな生き方」を経験できます……。たぶんあとになれば、もっとはっきりと具体的なことを知りたいと思うようになるでしょうけど。

エイブラハム　誰でも今いるところから始めるのだし、答えを求めている人たちはこの本のなかにその答えを見つけるだろう。誰でも知っていることすべて、あるいは伝えたいことすべてを一度に示すことはできない。わたしたちはここで「宇宙の法則」を理解するわかりやすい基本を教えてあげるが、ここに書かれた以上のことに興味を持つ人もいれば、持たない人もいるだろう。前に話し合ったことが刺激となり、その刺激の結果として質問が生まれ、その質問にまた答える。そういうプロセスを通じて、わたしたちの仕事は常に進化し続ける。わたしたちすべての進化に終わりはないのだよ。

「宇宙の法則」の定義

わたしたちはあなたがたに「永遠なる宇宙の法則」をもっと明確に理解してもらいたいと思う。そして物質世界の人生の表現を通じて、その法則をもっと意図的、効果的に、また満足がいくように応用してもらいたい。そのための力になりたいと願っている。

「宇宙の法則」には三つある。第一は「引き寄せの法則」だ。この法則を理解して効果的に応用できるようにならなければ、第二の法則である「意図的な創造の方法論」と第三の法則である「許容し可能にする術」も活用できない。第二の法則を理解して活用するためには、第一の法則を理解して効果的に活用しなければならない。また第三の法則を理解して活用するには、その前に第二の法則を理解して活用できなければならないのだ。

第一の「引き寄せの法則」というのは、「それ自身に似たものを引き寄せる」ということ。「なんだ、簡単なことではないか」と思うかもしれないが、これは宇宙のなかで最も強力な法則――あらゆるとき、あらゆるものに働く法則だ。この強力な法則に影響されないものはいっさいない。

第二の「意図的な創造の方法論」というのは、「わたしが考え、信じ、あるいは期待したことは、実在する」ということだ。要するに何かを考えると、望んでも望まなくてもそれが存在として現れる。だから「意図的に」思考を作用させること、それが「意図的な創造の方法論」の内容だ。この法則を理解して意図的に応用しないと、あなたが望むとおりの創造はできない。

第三の「許容し可能にする術」というのは、「わたしがありのままのわたしで、他者がありのままの他者であることを許容し、可能にしよう」ということだ。たとえ他者がありのままのあなたを認めなくても、他者がありのままであることをあなたが認めるなら、あなたは「許容し可能にする者」になる。だが、まずなぜ自分の今の人生があるのかを理解しなければ、「許容し可能にする者」にはなれない。

あなたが思考を通じて（あるいは関心を向けることを通じて）他者を自分の人生に招き入れなければ、他者はあなたの経験の一部にはならないし、あなたが思考を通じて（あるいは観察することを通じて）ある状況を人生に招き入れなければ、その状況はあなたの経験の一部にはならない。そのことを理解できたときに初めて、あなたはこの人生の表現へと身を投じたときに望んでいた「許容し可能にする者」になれる。

この三つの強力な「宇宙の法則」を理解し、意識して応用できれば、あなたは喜びに満ちて自由に、思いどおりの人生経験を創造できる。人生で出会う人も状況も出来事もすべて、あなたが自分の思考を通じて経験のなかに招き入れたのだということが理解できれば、この物質世界の身体に宿る決意をしたときに意図したとおりの人生を送れるようになるだろう。だから力強い「引き寄せの法則」を理解し、自分の人生経験を「意図的に創造」しようという意志を持てば、いずれは「許容し可能にする術」の完全な理解と応用だけが生み出す比類ない自由に導かれる。

Part 2

引き寄せの法則

「引き寄せの法則」とは？

ジェリー　なるほど。それではまず「引き寄せの法則」を細かく説明してくださるのですね？それがいちばん強力な「法則」だとおっしゃいましたよね？

エイブラハム　「引き寄せの法則」は最も強力な「法則」というだけでなく、わたしたちがこれから話す大事なことを理解するには、まずこの法則がわかっていなくてはならない。それに、あなたがたの人生やかかわりのある人たちの人生を理解するには、まずこの法則を理解しなくてはならない。あなたがたの人生、周りの人たちの人生、すべてに「引き寄せの法則」が働いている。この法則はあなたがたが目にするすべての現象の基本、すべての経験の基本だ。目的ある人生を生きるためには「引き寄せの法則」に気づき、その作用を理解することが不可欠だ。それどころか、あなたがたは本来喜びあふれる人生を生きるために生まれてきたのだが、そういう楽しい人生を送るためにも不可欠なのだ。

「引き寄せの法則」とは、**「それ自身に似たものを引き寄せる」**ということだ。「類は友を呼ぶ」とあなたがたが言うのは、実は「引き寄せの法則」のことなんだよ。朝起きたときに気分がよくないと一日中ろくなことが起こらず、ついには「ああ、ベッドから起き上がらなきゃよかった」とグチを言ってしまうとき、この法則が真実だと気づくだろう。また、年中病気のことばかり話している人が病気になり、年中繁栄のことばかり話している人が繁栄するとき、この法則が真実だと気づくだろう。あなたが630キロヘルツのAM放送を聞こうとしてラジオを630キロヘルツに合わせるのも、「引き寄せの法則」が真実だからだ。周波数を合わせるのは、電波塔から送信される周波数と受信する周波数が一致するということを知っているからだ。

この強力な「引き寄せの法則」を理解すれば——いやむしろ「思い出せば」と言うべきかな——身の回りでこの法則が働いていることはすぐにわかる。あなたは自分が考えていることと実際に経験することの正確な対応関係に気づくだろう。どんなことでも、いきなり経験のなかに現れることはない。**あなたがそれを——そのすべてを——引き寄せている。例外はいっさいいない。**

あなたの思考には「引き寄せの法則」が常に働いているのだから、あなたが「自分自身の現実を創造している」といっていい。あなたの経験はすべて、あなたが提示する思考に「引き寄せの法則」が働いた結果として引き寄せられてくる。過去の何かを思い出していても、今何かを観察していても、あるいは未来の何かを想像していても、今という強力な時点であなたが焦点を定めた思考は、あなたのなかにある波動を引き起こす。そしてたった今、その波動に「引き寄せの法則」が作用する。

望まないことを経験しているとき、人はよく言う。「こんなことは絶対に自分のせいじゃない」と。「自分でこんな嫌なことを引き起こすはずがない！」と叫ぶ。確かにあなたにはその望まないことを経験しようというつもりはなかったかもしれない。しかしそれでも、原因を作った者はあなた以外にはない、というしかない。あなたの身にそういうことを引き寄せる力は、ほかの誰にもありはしないからだ。望まないこと、あるいはそのエッセンスに思考を集中させることで、あなたは「たくまずして」それを引き起こしてしまった。「宇宙の法則」を理解していなかったから、つまり「ゲームのルール」がわかっていなかったから、そちらに関心を向けることで望まない経験を引き寄せてしまったのだ。

「引き寄せの法則」を理解するには、自分を思考や感情のエッセンスを引き付ける磁石だと考えるといい。だから肥満だと感じていたら、スリムな身体を引き寄せることはあり得ない。貧乏だと感じていたら、繁栄を引き寄せることはあり得ない。それが「法則」だから。

「引き寄せの法則」の力を理解すればするほど、意図的に思考を方向づけようと思うだろう。望むか望まないかにかかわらず、考えていることが実現するのだから。

あなたは考えを向ける対象を経験のなかに招き寄せ始める。例外はない。望む何かについて少し考えると、「引き寄せの法則」によってその考えはだんだん大きくなり、ますます力強くなる。望まない何かについて考えると、「引き寄せの法則」によってその考えもまただんだん大きくなる。考えが大きくなれば、それだけ大きな力を引き寄せるようになり、やがては確実にそれを経験することになるだろう。

何かを見て、それを経験したいと思い、「うん、あれが欲しい」と考えると、あなたは向けた「関心」を通じて、その対象を経験のなかに招き寄せる。だが何かを見て、それは経験したくないと思い、「ああ、とんでもない、あんなのは嫌だ！」と思っても、向けた「関心」を通じて、対象を経験のなかに招き寄せてしまう。万有引力を基盤としたこの宇宙では、例外はない。関心を向けると、対象があなたの波動に取り込まれる。関心や認識が長期間持続すると、対象が「引き寄せの法則」によってあなたの経験のなかに取り込まれる。

「ノー」はあり得ない。もっとはっきり言うなら、あなたが何かを見て「ノー、そんな経験はしたくない、消えてくれ！」と思ったとしても、実際にはあなたはそれを自分の経験のなかに呼び込んでいる。万有引力を基盤としたこの宇宙では、「ノー」はないのだ。関心を向けるのは、「イエス、望まないことよ、わたしのほうへおいで！」と言っているのと同じことなのだ。

幸い、あなたがたが住む物質世界の時空の現実のなかでは、物事は直ちに経験として現れるわけではない。考え始めたことが実際に経験のなかに出現するまでに、「時間という素晴らしい緩衝帯」がある。「時間という緩衝帯」のおかげで、本当に経験のなかに現れてほしいと思うことに、関心を向け直すチャンスが与えられる。それに経験として現れるずっと前に（それどころか最初に考え始めたときに）、自分がどう感じるかでその実現が望ましいか望ましくないかを判断できる。関心を向け続ければ——望むと望まざるとにかかわらず——それは経験として現れる。

あなたが理解していてもいなくても、また気づいてすらいなくても、「宇宙の法則」はあなたの経験に作用している。あなたは「引き寄せの法則」について聞いたことがないかもしれないが、振り返ってみれば人生経験のすべての面でこの強力な法則が働いていることがよくわかるはずだ。

ここでお読みになったことをよく検討し、自分が考えることや話すことと経験することとの相関関係に気づけば、「引き寄せの法則」の力強さがわかるだろう。そして思考を向ける対象を意識し、経験のなかに引き寄せたいと思うことに焦点を定めれば、あらゆる面で望むとおりの人生経験ができるようになる。

あなたがたがいる物質世界は広大かつ多様で、出来事も環境も驚くほど変化に富んでいる。そのなかにはあなたがたが肯定する（そして経験したいと願う）こともあれば、否定する（経験したくないと思う）こともある。この物質世界に生まれたとき、あなたがたは自分の好みに合うように変われと世界に命じようとは思っていなかったし、自分が肯定しないものをすべて排除し、自分が肯定するものを付け加えよう、というつもりもなかった。

あなたがたがこの世界に生まれたのは、自分の周囲に自分が選択する世界を「創造」するためであり、同時に世界が――ほかの人々が選択するとおりに――存在することを「認める」ためだった。人々の選択があなたの選択を邪魔することはあり得ないが、人々の選択に対するあなたの関心の持ち方があなたの波動に影響し、したがってあなた自身の「引き寄せの作用点」に影響する。

「引き寄せの法則」とその磁力ははるか宇宙にまで働き、波動が似たほかの思考を引き寄せ……それがあなたの元へやってくる。対象へのあなたの関心、わき起こる思考、そしてその思考に働く「引き寄せの法則」、これによってあなたの人生に現れるすべての人、すべての経験、すべての状況が決まる。これらすべては、あなたの思考と波動が一致したので、強力な磁力のトンネルのようなものを通ってあなたの経験のなかに吸い寄せられてくる。

望むと望まざるとにかかわらず、自分が考えることのエッセンスが自分の身に起こる。

こういわれると最初は不安かもしれないが、そのうちきっと、この強力な「引き寄せの法則」の公正さと一貫性、絶対的な作用をありがたいと思うだろう。わたしたちはそう願っている。この「法則」を理解し、何に関心を向けるかに関心を持つようになれば、自分自身の経験をコントロールする力を取り戻せる。人生経験をコントロールできれば、望むことはなんでも達成できるし、望まないことはなんでも経験から排除できることも思い出すだろう。

「引き寄せの法則」を理解して、自分が考えて感じることと人生経験に現れることとの絶対的な相関関係を認識すれば、思考を刺激することに対していっそう敏感になるだろう。思考が本や雑誌やテレビ、それに聞いたり見たりした誰かの経験に刺激されていることに気づくだろう。そして思考に「引き寄せの法則」が作用すること、関心を向け続けると最初は小さかったものがだんだん大きく力強くなることが理解できれば、経験したいと思うことに自分の思考を向けようと思うに違いない。何を考えるにしても、また思考を刺激したものが何であるにしても……その思考を抱き続ければ、「引き寄せの法則」が働いてそれと似たほかの思考や会話や経験が引き寄せられてくるのだから。

過去を思い出していても、今を観察していても、あるいは未来を想像していても、それをしているのは「たった今」で、あなたが関心を向けている対象が波動を引き起こし、その波動に「引き寄せの法則」が働く。初めは黙って何かを考えていても、長期間考え続けていると、ほかの人との話題にそれが出てくることに気づくだろう。「引き寄せの法則」が似たような波動の人たちを見つけ出して、あなたの元へ引き寄せるからだ。何かに思考の焦点を定めていれば、その思考はだんだん強力になり、引き寄せの作用点も強力に働いて、その思考の証しが人生経験のなかにはっきりと現れてくる。**あなたが思考の焦点を定めた対象が望むことでも望まないことでも、その思考の証しは常にあなたへと流れ込んでくるのだ。**

あなたがたはこの物質世界の身体以上の存在だ。実はあなたがたは物質世界の素晴らしい創造者であると同時に、別の次元でも存在している。あなたがたの一部、見えない部分――わたしたちはそれをあなたがたの「内なる存在」とよぶ――は、あなたがたが物質世界の身体に宿っているたった今も存在する。

あなたがたの感情は、「内なる存在」とあなたがたとの関係を示す物質世界での指標である。言い換えれば、ある対象に思考の焦点を定め、それについて具体的な見方、具体的な見解を持ったとき、「内なる存在」もそれに焦点を定め、ある見方、ある見解をとる。そのときにあなたがたが何を感じるかで、両者の見方が一致しているかどうかがわかる。例えば何かが起こり、あなたはもっとうまくやれたはずだとか、自分は愚かだった、自分はダメな人間だと考えたとする。しかし、あなたは立派にやっている、あなたは賢明だし、永遠に価値ある存在だというのが「内なる存在」の見方だから、あなたとあなたの「内なる存在」の見方には決定的な不一致が生じる。それであなたはその不一致を「ネガティブな暗い感情」という形で感じ取る。一方、あなたがプライドを持ち、自分自身や誰かを愛しているとき、あなたの見方は「内なる存在」のそれにずっと近くなるから、誇りや愛情や感謝という「明るい前向きの感情」を抱く。

あなたの「内なる存在」あるいは「ソースエネルギー」は、いつもあなたにとっていちばんためになる見方をするし、あなたの見方がそれに一致すれば肯定的な引き寄せの力が働く。言い換えれば、あなたの気分がよければそれだけあなたの「引き寄せの作用点」もいいし、いいことが起こる。あなたの見方と「内なる存在」の見方の波動の相対的な関係。これがいつでも利用できる素晴らしい「指針」なのだ。

「引き寄せの法則」は常にあなたの波動に作用しているから、あなたが望むものを創造するプロセスにあるか、それとも望まないものを創造しているかは、感情に気をつければわかる。このことを知っていると、とても役に立つ。

物質世界にいるあなたがたは、強力な「引き寄せの法則」を学び、自分が思考の対象を引き寄せていることを理解し始めると、自分の思考をいちいち監視したり警戒したりするかもしれない。しかし人はいろいろなことを考えるものだし、「引き寄せの法則」はますます多くの思考を引き寄せるから、思考は監視しきれるものではない。

思考を監視しようとするよりも、自分の感情に関心を向けたほうがよろしい。あなたのなかでも広やかで古くて賢明で愛情あふれる「内なる存在」、その部分の見方と調和しないことを考えると、あなたは違和感を覚えるだろう。だからすぐに思考を別のもっと心地よい、したがって、自分に役に立つものへと振り向けることができる。

あなたがたはこの物質世界の身体に宿ろうと決めたとき、「感情という素晴らしいナビゲーションシステム」を利用できることを知っていた。感情という指針を使えば、いつも存在する素晴らしい感情を通じて、自分がより広い知恵の方向から外れているか、それとも一致しているかがすぐにわかる。

望む対象のほうへ思考を向けていれば、明るい前向きの感情を覚える。望まない対象のほうへ思考を向けていると、ネガティブな暗い感情になる。あなたがたは、なんであれ自分が思考を向ける対象を引き寄せる。そのとき自分がどう感じるかに関心を向けてさえいれば、自分という強力な磁力を持った「存在」がどんな方向から対象を引き寄せているか、いつでも簡単にわかる。

感情を指針に思考の方向をチェックする

「感情という素晴らしいナビゲーションシステム」は非常に役立つ。なぜならあなたが気づいていようがいまいが「引き寄せの法則」はいつも働いているから。そしてあなたが望まない何かに思考を向け、その思考に焦点を定めていると、「法則」によってどんどん似たようなものが引き寄せられてきて、最終的にはそれと一致する出来事や状況を経験することになる。

ただし「感情というナビゲーションシステム」に気づいて、自分がどう感じているかを敏感に感じ取っていると、早期の微妙な段階で自分は望まないものに関心を向けていると気づき、自分が望むものを引き寄せるように思考の方向を転換できる。自分の感情に敏感でないと自分が望まない方向で考えていることを認識できず、望まない方向の大きくて強力な対象を引き寄せてしまう。引き寄せたあとになってからでは、対処はとても難しい。

なんらかの思考が浮かび、それに熱心になれるなら、その思考と「内なる存在」の波動は一致している。明るい前向きな感情は、その瞬間の思考の波動が「内なる存在」の波動と一致しているしるしだ。実は、それがインスピレーションである。その瞬間、あなたの波動は「内なる存在」の広やかな視点と完璧に一致している。この波動の調和のおかげで「内なる存在」との明確なコミュニケーションが成立し、指針を受け取ることができる。

創造のスピードを速めるには？

「引き寄せの法則」のおかげで似たような思考があなたの元に集まり、思考はますます強力になる。そして強力になればなるほど――現象化が近づけば近づくほど――そのときに覚える感情も比例して大きくなる。あなたが望む対象に焦点を定め、「引き寄せの法則」によって似たような思考がどんどん引き寄せられると、あなたの感情はますます明るく肯定的になる。**だから対象への関心を増やせば、創造のスピードを速めることができる。あとは「引き寄せの法則」が働いて、あなたの思考の対象のエッセンスを引き寄せてくれる。**

わたしたちは「欲する」とか「望む」という言葉を、「ある対象に関心あるいは思考を向け、同時に明るい前向きの感情を体験する」という意味で使うことにする。ある対象に関心を向け、そのことに明るい前向きな感情だけを覚えるなら、その対象はすぐにあなたの経験のなかに現れるだろう。だが聞いていると、物質世界にいるあなたがたは「欲する」とか「望む」という言葉を使いつつ、でも実現するはずがないと「疑い」や「不安」を抱いている場合がある。だが、わたしたちの見るところ、暗いネガティブな感情を抱きながら純粋に何かを望むことはできないのだ。

純粋な欲求は常に明るい前向きな感情を伴う。この点では「欲する」とか「望む」という言葉の使い方で、わたしたちに同意できない人たちがいるかもしれない。そういう人たちは、「欲する」というのは欠如しているという意味でもあるから、この言葉は矛盾しているではないか、と言う。わたしたちもそう思う。だが問題は言葉やレッテルにはなく、その言葉で表現している感情の状態にある。

あなたがたは今いる場所から、どこへでも行きたいところへ行くことができる。今どこにいようが、どんな状態であろうが、それは変わらない。そのことをあなたがたが理解する助けをしたいとわたしたちは思っている。いちばん重要なのは、あなたがたは今現在の精神状態や姿勢を基盤として、そこを元にいろいろなものを引き寄せる、ということだ。そこを理解しなくてはいけない。強力で一貫性のある「引き寄せの法則」は、波動で構成されるこの宇宙の万物に働いている。だから波動が一致する人々が集まり、波動が一致する状況が集まり、波動が一致する思考が集まる。それどころか、あなたがたの人生のすべては、ふと心に浮かぶ思考から電車やバスや道路で出会う人たちまで、すべて「引き寄せの法則」の働きによって生じている。

あなたの欲しいものに関心を向ける

あなたがたのほとんどは、多くの面で人生は順調だし、その部分はこのまま続いてほしいと思っているだろうが、変えたいと思うこともあるだろう。物事を変えるには、今の状態を今のまま見続けるのではなく、見方を変えなければならない。あなたがたはたいてい今見ているもののことを考えている。つまり「今の状態」があなたの関心や思考の焦点、関心、波動を支配し、したがって「引き寄せの作用点」を支配している。さらに、そこに周りの人たちのあなたに対する見方が加わる。

あなたがたのほとんどは、現状（今の状態）に圧倒的な関心を向けているが、それでは変化は起こらないか、起こっても非常に遅いだろう。いろいろな人々があなたの人生には現れるだろうが、経験のエッセンスというかテーマはほとんど変化しないだろう。

人生に前向きの変化を引き起こすには、現状を——それにほかの人たちのあなたに対する見方を——無視して、望ましい完璧な状態に関心を振り向ける必要がある。慣れてくると、法則の作用点を変更して人生経験をがらりと変えることができるようになる。病人は元気になるし、豊かさに欠ける人は豊かになるし、困った人間関係の代わりに良好な人間関係を結ぶことができ、混乱に明晰さがとって代わる、などということだ。

今の自分に起こっていることをただ眺めるのではなく、意図的に思考を方向づけることで、「引き寄せの法則」が働く波動のパターンを変えるきっかけが生まれる。やがて、あなたがたが今思っているよりはずっと楽に——あなたに対する他人の見方に応えるのではなく——過去や現在とは違う未来を創造できるようになる。もう他人が見るあなたに留まらず、自分自身の経験を意図的に力強く創り出す創造者になれるのだ。

彫刻家が粘土の塊をただ作業台に載せて、「なんだ、いい作品になっていないじゃないか！」と叫んだりするだろうか。彫刻家は自分の手で作業台の粘土をこねて、自分の心のなかにある像と一致するものを創らなければならないと知っている。さまざまな人生経験はあなたがたが人生経験を創り出すために与えられた粘土のようなものだ。それを手にとってこねあげて創りたいものを創るのではなく、ただ眺めているだけでは、満足できるはずはない。それに、あなたはそんなふうに考えて時空というこの現実に参加しようと決めたのでもない。今どんなふうに見えていようとも、あなたの「粘土」には可塑性があることを理解してほしい。例外はないのだ。

小さき者よ、地球へようこそ

「そういうことは地球上での経験をする最初の日に教えてくれればよかったのに」と思うかもしれない。さて、物質世界での人生の最初の日に話してあげるとすれば、わたしたちはこんなふうに言っただろう。

「小さき者よ、地球へようこそ……あなたはなんにでもなれるし、なんでもできるし、なんでも手に入れられる。あなたはとても素晴らしい創造者で、『ここに現れたい』という力強い意図があったから、こうしてここに現れた。あなたには驚異の『意図的な創造の方法論』を応用する能力があり、実際に応用してここにやってきたのだ。

さあ、出発しなさい。望むものへ思考を向け、人生経験を引き寄せて、それを参考にして自分が何を望むかを決め、一度決めたらそこに思考を集中しなさい。

あなたの時間の大半はデータを集めるのに使われるだろう。自分の欲求はなんなのかを決めるためのデータだ。あなたの本当の仕事は、自分が望むものは何かを決め、次にそれに焦点を定めること。望むものに焦点を定めることで、その対象を引き寄せるのだから。それが創造というプロセスだ。望むものに思考を向けなさい。多くの思考、曇りのない思考を向けて、あなたの『内なる存在』が明るい前向きの感情を与えてくれるようにしなさい。その感情と思考を向ければ、あなたはどんな磁石よりも強力な磁石になれる。そのプロセスを通じて、あなたは自分が望むものを自分の経験のなかへ引き寄せるだろう。

あなたの思考の多くは、最初はそれほど引き寄せの力が強くはない。長期間焦点を定めていなければ、思考の磁力は強くならないのだ。だが、思考の量が増えれば力も強くなる。量が増えて力が強くなれば、『内なる存在』から発し、あなたが感じ取る感情もさらにはっきりするだろう。

感情を伴うことを考えるとき、あなたは宇宙の力にアクセスしている。人生経験のこの最初の日から自分が何を望むのかを決め、そしてそこに焦点を定めることが自分の仕事だと心得て、進んでいきなさい」と、わたしたちは言うだろう。

だが、わたしたちはあなたがたの人生経験の最初の日に話しているのではない。あなたがたは地上に生まれてしばらくたっている。あなたがたのほとんどは、自分を自分自身の目で見ているだけでなく、それどころか、主として自分自身の目で見ているのでさえなく、他人の目を通して自分を見ている。**だからあなたがたの多くは、今の状況は自分が望むものではないと感じている。**

この「現実」だけが本当の現実ではない

「今の自分の現実」と感じるものに左右されずに自分が選ぶ状況を実現し、宇宙の力にアクセスして望む対象を引き寄せるプロセスを、あなたがたに教えてあげよう。わたしたちの見るところ、**あなたがたの現状――あなたがたが自分の「現実」とよぶもの――と、あなたがたの本当の現実には非常に大きな隔たりがある。**

たとえあなたが健康でない身体や、自分が選びたくない大きさや形や活力の身体に宿っているとしても、また楽しくないライフスタイルで暮らしていても、恥ずかしいと思う自動車を運転していても、楽しくない人たちと交際していても……それがあなたの現状に見えていても、本当はそれと違っていていい、ということをわからせてあげたい。あなたの現状とは、ある時点での自分自身についての感じ方なのだ。

強い感情を伴う思考は磁力が強い

強い感情を引き起こさない思考には、大きな磁力はない。言い換えれば、あなたの思考のすべてには潜在的な創造力というか可能性を引き寄せる磁力があるが、強い感情と組み合わさった思考がいちばん強力だということだ。すると、あなたの思考の大半はあまり大きな力を持っていないことになる。多かれ少なかれ、既に引き寄せたものを維持しているだけだろう。

そこで自分が望む状況や出来事を人生経験に引き寄せるために、毎日10分か15分、偉大で力強くて情熱的で前向きな感情がわき起こる力強いことを意識的に考えるとしたら、その実践にどんな価値があるかわかるだろうか？（わたしたちはとても大きな価値があると思う）

ここで、毎日少し時間を割いて、健康で豊かで前向きな活力ある生き方――あなたが考える完璧な人生経験のすべて――を、人生経験のなかに意図的に引き寄せるやり方を教えてあげよう。そうすれば、物事も友人たちも変わるだろう。あなたが意識的に受け取る気になれば、自分が創造したものの果実を受け取るだけでなく、新たな視点も手に入れることになり、そこでまたあなたの意図が変わるだろう。それが進化ということであり、成長ということなのだ。

エイブラハムの創造プロセス・ワークショップ

そのプロセスとはこういうことだ。あなたは毎日一種の「創造のワークショップ」に参加するのだ。長時間ではなく、15分かせいぜい20分でいい。ワークショップは毎日同じ場所で行う必要はないが、気が散ったり邪魔が入ったりしない場所がいいだろう。これは意識を変性させるのでもなければ、瞑想状態に入るのでもない。ただあなたの「内なる存在」が感情によって確認してくれるとおりに、望む対象に曇りのない思考を向ければいい。

このプロセスを始める前に重要なのは、「幸せな気持ちでいる」ということ。不幸な気持ちでいたり、何の感情も覚えないでいたのでは引き寄せの力は働かないから、ワークショップはあまり意味がなくなる。わたしたちが「幸せな気持ち」というのは、うれしくて跳んだり跳ねたりするような状態のことではない。高揚した軽やかな気持ち、すべてが順調だという気分のことを指している。そこで、なんでもいいからそういう幸せな気持ちになれることをすればいい。どうすれば幸せな気持ちになれるかは人によって違う。エスターなら、高揚した楽しい気分になるには音楽を聞くのがいちばんの早道だ。だが音楽ならなんでもいいわけではないし、毎回同じ音楽が効果があるというのでもない。あなたがたのなかには動物と遊んだり、流れる水のそばにいたりするのがいい、という人もいるだろう。とにかく幸せな気持ちになれたら、静かに腰を下ろしなさい。これから、いよいよワークショップを始めるのだ。

このワークショップでのあなたの仕事は、人とのつきあいやさまざまな物理的な環境を通じて、実生活の経験から集めたデータを吸収し、同化することだ。ここであなたは集めたデータを基に、あなたが満足できる楽しい自画像を作り上げる作業をする。

ワークショップの外側にある人生経験には、とても大きな価値がある。あなたが何をしているにせよ——仕事に行き、うちで家事やいろいろなことをし、配偶者や友人や子どもたちや両親とつきあい——日々動き回っているとき、**自分のワークショップで使うデータや見方を集めようという意識さえ持っていれば、毎日が実におもしろいと気づくだろう。**

あなたはポケットにお金を入れて、何か買いたいものがないかなとショッピングに出かけたことはあるだろうか？　お店には買いたいと思わないものがたくさんあるだろうが、あなたはお金を出しても欲しいと思うものを探すはずだ。そんなふうに、毎日の人生経験を見回しなさい。ポケットには、収集したいデータと交換するための何かが入っているという気持ちで。

例えば、楽しい性格の誰かと出会うかもしれない。あとでワークショップで使うためにそのデータを収集しよう。誰かが運転している自動車がいいなあと思うかもしれない。そのデータも収集しよう。楽しそうだと思う職業があるかもしれない。なんであれ、「いいな、楽しそうだな」と思ったら、それを覚えておく（書き留めておいてもいい）。自分の人生経験にもあったらいいなと思うことがあれば、自分の記憶の貯金箱にそのデータを集めておく。そしてワークショップでそのデータを吸収同化してあなたの自画像を作るのだ。すると、**その自画像を出発点として、いいなと思ったもののエッセンスが経験に引き寄せられてくる。**

あなたの本当の仕事は——ほかのどんな活動をしていても——ワークショップで使うことを意識して、欲しいものを探すことであり、そしてそのデータを使って自分に関するビジョンを創造し、それを通して欲しいものを引き寄せることだ。それがしっかり理解できれば、あなたはなんにでもなれるし、なんでもできるし、なんでも手に入れられることがわかるだろう。

さあ創造のワークショップを始めよう

さて、あなたは幸せな気分でどこかに腰を下ろし、ワークショップを始める。例えば、こんなふうに。

わたしはここにいるのが好きだ。この時間の価値と力を認識している。わたしはここにいて、とてもいい気分だ。

わたしは自分を総合的なパッケージのようなものだと思う。わたしが自分で選んで創り出す自分自身のパッケージだ。そのわたしはエネルギーに満ちている。疲れを知らず、なんの障害もなく軽やかに人生を生きていく。軽やかに自動車に乗り降りし、建物や部屋に出入りし、会話に加わっては離れ、人生経験の場面を出入りする自分が見える。なんの苦労もなく、快適で幸せに生きている自分が見える。

わたしには、今の自分の意図に調和した人たちだけを引き寄せる自分が見える。そして一瞬ごとに、自分が何を望んでいるかがますます明確になる。自動車に乗ってどこかに移動するとき、生き生きと健康で時間どおりに到着する自分が見えるし、そこでしようとすることについても十分に準備を整えている自分が見える。完璧に自分が選んだとおりの服装をしている自分が見える。ほかの人が何を選ぼうと、またほかの人がわたしの選択をどう考えようと、そんなことはどうでもいいと知っているのは、とても快適だ。

重要なのは自分が自分に満足していることで、わたしは自分自身を眺めて確かに満足している。

わたしは人生のすべての面で自分にはなんの制約もないことを認識している。預金残高による制約はないし、人生を生きるうえでの選択にも経済的な制約はないと知るのは、実に気分がいい。重要なのは、「わたしはその経験がしたいかどうか」ですべてを決断することだ。「その経験をする余裕があるかどうか」で決断するのではない。なぜなら、自分は磁石で、いつでも自分が選ぶとおりの豊かさ、健康、人間関係を引き寄せられることを知っているから。

わたしは絶対的かつ持続的な豊かさを選ぶ。宇宙の豊かさには限りがないことを知っているし、わたしが豊かさを引き寄せたからといって、ほかの人の豊かさを制約することにはならないと知っている。すべての人にとって十分な豊かさがあるのだ。大事なのはわたしたち一人ひとりがそれを知って、望むこと。そうすれば、みんなが豊かさを引き寄せるだろう。だからわたしは「無限」の豊かさを選択したが、だからといって財産を大事にしまっておく必要はない。いかなるものを望んでも、望むものを引き寄せる力が自分にあることを知っているからだ。別のものを欲すれば、またお金は簡単にわたしの元へ流れてくる。豊かさと繁栄は無限なのだ。

わたしの人生はすべての面において豊かだ。わたしは自分と同じように成長を望む人に囲まれている。その人たちが望むままに、なんになり、何をし、何を手に入れようとも、わたしにはそれを受け入れる意志があるから、その人たちはわたしの元へ引き寄せられる。もしその人たちの選択が気に入らなければ、それをわたしの人生経験に引き寄せる必要はない。わたしはほかの人たちと交流する。話し、笑い、その人たちの完璧さを楽しみ、その人たちはわたしの完璧さを楽しむ。わたしたちはみなお互いを尊重し、自分が好まないからといって批判したり文句を言ったりしない。

わたしは完璧な健康体の自分を見る。絶対的に繁栄している自分を見る。活力にあふれ、物質世界の存在になろうと決めたときに強く望んだ人生経験を大切に楽しんでいる自分を見る。物質世界での存在としてここにいること、物質的な脳を使い、「引き寄せの法則」を通して宇宙の力にアクセスし決断を下すことは、輝かしい体験だ。この素晴らしい状態から、わたしはさらに同じように素晴らしい多くのことを引き寄せる。これはとてもいいことだ。とても楽しいことだ。わたしはこのプロセスが大好きだ。

では、このワークショップを終えて、これから――今日の残った時間に――もっとたくさん好きなことを探そう。豊かだけれど病んでいる人を見ても、うれしいことにその全体をワークショップに持ち込む必要はなく、好ましい部分だけを収集すればいい。だからわたしは豊かさの実例を収集し、病気のほうは放っておく。さあ、今日のワークショップの作業は終了だ。

すべての「法則」が宇宙の法則ではない？

ジェリー　エイブラハム、あなたは宇宙を貫く三つの主要な法則について話してくれました。それでは、「宇宙の法則」ではない法則というものはあるのですか？

エイブラハム　あなたがたが法則とよぶかもしれないものはたくさんある。だが、わたしたちが法則というのは「宇宙の法則」のことだ。言い換えれば、あなたがたはこの物質世界の次元に入るとき、時間という取り決め、重力という取り決め、空間概念という取り決めに応じた。だが、これらの取り決めは「宇宙の法則」ではない。これらの取り決めが通用しない経験の次元というものがあるからだ。あなたがたが法則という言葉を使っても、わたしたちなら「取り決め」という言葉を使う場合はたくさんある。しかし、今ではなくもっとあとにしようと、わたしたちが教えるのを後回しにした「宇宙の法則」などはないのだ。

「引き寄せの法則」の最高の活用法は？

ジェリー　「引き寄せの法則」を意識的に、というか意図的に活用する方法はたくさんありますか？

エイブラハム　まず言っておこう。あなたがたは自分が気づいていようがいまいが「いつも」「引き寄せの法則」を使っている。法則はあなたがたの行いのすべてに働いているのだから、使わないわけにはいかない。だが、今のはいい質問だ。あなたは自分が「意識して」望んだことを実現するために「意図的に」法則を活用するにはどうすればいいか、ということを知りたがっている。

「引き寄せの法則」を意図的に活用するには、そういう法則があるのだと認識することがいちばん大切だ。「引き寄せの法則」はいつもあなたの思考に働いているから、意図的に思考の焦点を定めることが大切だ。

関心の対象を選び、自分のためになるやり方でその対象について考えなさい。言葉を換えれば、自分にとって重要なことについて「前向きの考え方」はないかと探すことだ。あなたがたがある考えを選ぶと、「引き寄せの法則」が働いて似たような考えが引き寄せられ、その考えはどんどん力強いものになっていく。

自分が選んだ対象に思考の焦点を定めていれば、対象に働く「引き寄せの作用点」はとても強力になるが、考える対象が次々に変わる場合はそうはいかない。焦点を定めることには非常に大きな力があるのだ。

考えること、行うこと、それに一緒に過ごす人たちを意識して選んでいると、「引き寄せの法則」がどれほど自分の役に立つかがわかるだろう。あなたを尊重してくれる人たちと一緒にいれば、あなたの自尊心が刺激される。欠点ばかりを見る人たちと一緒にいれば、あなたに欠点があるという見方があなたの「引き寄せの作用点」になる。

関心を向けるものはなんであれ(「引き寄せの法則」が働くから当然)力が増大していくことがわかれば、あなたはまず何に関心を向けるかということにもっと慎重になるだろう。初めのころなら思考の方向を変えるのはとても簡単だが、しばらくたって思考に勢いがついてからでは難しい。だが、いつだって思考の方向を変えることはできるのだ。

勢いのついた創造を逆転できるか?

ジェリー　それまでの思考のせいで、既に何かが進行しているとしましょう。でも、突然その創造の方向を変えたくなったとします。そのときも勢いという要素が関係しますか?つまり、まず既に進行している創造のプロセスのスピードを緩めなければなりませんか?それとも、すぐに別方向の創造を始めることができますか?

エイブラハム　「引き寄せの法則」による勢いは存在する。「引き寄せの法則」とは、「それ自身に似たものを引き寄せる」ということだ。だから、あなたが関心を向けることで活性化した思考はだんだん大きくなっていく。だが、勢いは徐々についていく、ということをわかってほしい。急に思考を方向転換するよりも、別の思考に焦点を移すことを考えなさい。

何か自分が望んでいないことを考えていたとしよう。しばらくそのことを考えていたので、ネガティブな勢いがかなり強くなっているとする。いきなり反対方向のことを考えようとしても無理かもしれない。それどころか、そういう場合には反対方向のことなど考えもつかないかもしれない。**だが、以前の考え方より少しだけましな考え方なら選べるだろうし、さらに少しましな考え方、またさらに少しましな考え方と変えていって、徐々に思考の方向を変えることはできるはずだ。**

考え方の方向を変えるもう一つの効果的なやり方は、思考の対象そのものをがらりと変えてしまうこと、意識して何かの前向きな面を探すことだ。それができれば、そしてしばらくその気分のいい考え方に集中していれば、今度は「引き寄せの法則」がそちらの考え方に働き、思考のバランスがよくなる。そうすれば、以前のネガティブな考え方に戻ったとしても、あなたの波動は既に変化しているから、ネガティブな考え方にも多少は波動の変化の影響が及ぶ。あなたが選ぶ思考対象の波動の内容が少しずつよくなっていくだろうし、あなたの人生のすべてがもっと前向きな方向へと変化し始めることになる。

ジェリー　豊かさとか健康について、自分の思考を前向きな方向へ転換したいと考えている人がいるとします。でも思考は悪い方向に勢いがついてしまっている場合、まだ法則を活用しないうちから、失望を克服して「いや、この法則でうまくいくはずだ」と思うためには、どれくらいの信念が必要なのでしょうか？

エイブラハム　失望していると、さらに多くの失望を引き寄せることになるね。だから創造のプロセスを理解するのがいちばんいいだろう。「創造のワークショップ」では、まず幸せな気分になり、それから落ち着いて何が自分の望む状況なのかを見定め、次に前向きの感情がわき起こるまでしっかりと望ましい状況を見つめる。その状態になれば、望む状況が引き寄せられてくるだろう。

失望とは、あなたは望まないことに思考の焦点を定めているよ、という「内なる存在」からのメッセージだ。自分の感情に敏感になれば、失望そのものが、あなたは経験したくないことを考えていると教えてくれる。

望まない出来事が世界的に起こっている理由は？

ジェリー　この何年か、テレビのニュースなどを見ていると、ハイジャックだのテロだの深刻な児童虐待だの大量殺戮だのと、ネガティブなことがやたらと報道されています。しかも、それは世界的な傾向のような気がするんです。それも同じプロセスで生じているんですか？

エイブラハム　どんな対象でも関心を向ければ、対象の振幅は大きくなる。関心がその対象の波動を活性化させ、活性化された波動に「引き寄せの法則」が作用する。

ハイジャックを計画している人間はその思考を強化するが、ハイジャックを「恐れている」人間もまたその思考を強化する。望まない対象でも、そこに関心を向ければ対象の力はどんどん強まる。だからネガティブな情報をいっさい自分の経験に持ち込みたくないと思う人は、そもそもマスコミの報道など見ないだろう。

さまざまな意図があり、さまざまな意図の組み合わせがあるから、一般的に何がある事件を引き起こしているかを指摘することはとても難しい。だが、確かに報道が悪い状況を促進しているとはいえるだろう。多くの人が自分の望まないことに思考を向ければ、その人たちは望まないことの創造に力を貸すことになる。その人たちの感情的なパワーが世界の出来事全体に大きな影響を与える。それが大衆の意識の働きだよ。

医療への関心は病人を増やす?

ジェリー　最近、いろいろな手術の様子をテレビで放映しています。そのために一人当たりの手術の回数が増えるってことがありますか? 言い換えれば、医療の状況をテレビで見ると、その人の波動が医療のエッセンスと自動的に一致してしまうのでしょうか?

エイブラハム　何かに関心を向ければ、その対象を引き寄せる可能性は高まる。対象が細部まで鮮明であればあるほど、向ける関心も大きくなるし、したがって、その対象を経験に引き寄せる可能性も大きくなるだろう。そして、その対象を見ているときに感じる暗いネガティブな感情は、ネガティブなものを引き寄せている証拠だ。

もちろん、すぐに病気になるのではない。だから思考やそれに伴う暗いネガティブな感情とその後の病気との関係に気づかないことも多い。だが両者には絶対的なつながりがある。あなたが関心を向けるものはすべて引き寄せられてくるからだ。

幸い「時間という緩衝帯」があるので、思考がすぐに現実になるわけではないから、思考の方向を(どう感じるかということを指標に)よく調べて、暗いネガティブな感情がわいていると感じたら、思考の方向を変えるチャンスはいくらでもあるはずだ。

しょっちゅう病気の詳細が報道されていることは、あなたがたの社会における病気の増加に大きな影響を及ぼしている。病気の可能性はいくらでもあって際限がないのだから、病気について次々に発表される暗い統計数字に関心を集中していれば、どうしたってあなたがた個人の「引き寄せの作用点」に影響しないわけがない。

だから、自分が経験したいと思うことに関心を向けるやり方を見つけたほうがいい。常に見つめ続けていれば、それを引き寄せることになる。**病気のことを考え、病気を心配すればするほど、病気を引き寄せることになるのだ。**

暗い感情の原因を探すべきか?

ジェリー 自分が望むことに集中するために「創造のワークショップ」をするとします。でも「ワークショップ」を終えたあとに、暗いネガティブな感情がわいたら、その感情の原因を探したほうがいいのでしょうか? それともそんなことは放っておいて、「ワークショップ」で考えたことに思考を向けるほうがいいですか？

エイブラハム　「創造のワークショップ」に効果があるのは、対象に関心を向ければ向けるほど、その対象の力が強くなるからだ。そして楽に考えられるようになるほど、実際の経験のなかに現れやすくなる。暗いネガティブな感情がわいたと感じたら、いつのまにか「ネガティブなワークショップ」をしてしまったと気づくことが大切だ。

ネガティブな感情がわいたと思ったら、経験したいと思うことへ穏やかに思考を向けるといい。そうすれば、考え方の習慣が少しずつ変わっていく。「これは望まないことだ」とはっきりすれば、それでは望むのは何かということもわかるはず。そういうことを繰り返していくと、自分にとって重要なすべてのことについて、思考のパターンが望ましいほうへと変化する。言い換えると、望ましくないことを信じている今の考え方から、望ましいことを信じる考え方へと少しずつ橋を架けることができるのだ。

橋の架け方の例は？

ジェリー　その「橋の架け方」の実例を示してもらえますか？

エイブラハム　常に望むことを意識していようと思うなら、「感情というナビゲーションシステム」がとても役に立つ。「ワークショップ」で完璧な健康を意識したとしよう。あなたは健康で元気いっぱいの自分を描いた。さて、日常生活のなかで女友達とランチをとっていたら、相手は自分の病気の話を始めた。彼女が病気のことを話しているのを聞きながら、あなたはとても不安で落ち着かない気分になる。それはあなたの「感情というナビゲーションシステム」が働いて、**今聞いていることや考えていること――友達が話題にしていること――が自分の意図と調和していないと教えている**のだ。そこであなたは話題を変えようというはっきりした意志を持つ。そして別のことを話そうとするが、友達はすっかり興奮して話に熱中していて、病気の話題から離れようとしない。するとまたも、あなたの「感情というナビゲーションシステム」が警告のベルを鳴らす。

　暗いネガティブな感情がわく理由は、友達があなたの欲しないことを話しているからだけではない。**ネガティブな感情は、あなた自身が自分の欲求とは逆のことを信じているしるしなのだ。**友達との会話は、元気でいたいという欲求と矛盾するあなたの信念を活性化したにすぎない。だから、友達と離れたり会話を打ち切ったりしても、あなたの信念は変化しない。あなたは、ネガティブな信念を抱いているたった今からスタートして、元気でいたいという欲求に調和する信念に向けて、さっき話した「橋」を徐々に架けなくてはならないのだ。

暗いネガティブな感情がわいたら、立ち止まって「いったい自分は何を考えていたのだろう」と振り返るといい。ネガティブな感情がわくのは、きっと重要なことを考えていて、しかも本当の欲求とは正反対の考え方をしているときだ。だから「このネガティブな感情がわいたとき、自分は何を考えていただろう」とか「これについて、自分は何を望むだろう」と考えることは、自分が経験に引き寄せたいと思うのと反対のことに思考を集中していたと気づくきっかけになる。

例えばこんな具合だ。「このネガティブな感情がわいたとき、自分は何を考えていただろう？　インフルエンザの季節になったなと考え、以前インフルエンザにかかってとても具合が悪くなったときのことを思い出していた。仕事に行けなかっただけでなく、ほかにもいろいろやりたいことができなかったし、何日も本当に惨めな気分だった。それでは、今自分が望んでいるのはなんだろう？　今年のインフルエンザシーズンを健康に乗り切りたい、それが望みだ」

だが、こういう状況のときには、単に「健康でいたい」というだけでは十分ではない。インフルエンザの記憶と、インフルエンザにかかるかもしれないという思いのほうが、元気でいたいという欲求よりも強烈だからだ。

そこで、こんなふうに橋を架けたらどうだろう。


「今ごろの季節はインフルエンザにかかりやすい」

「今年はインフルエンザにかかりたくない」

「今年はインフルエンザにかからないことを望む」

「みんな、インフルエンザにかかるようだ」

「いや、それはおおげさだ。全員がインフルエンザにかかるわけじゃない」

「それどころか、わたしだってインフルエンザにかからないで済んだことが何度もある」

「必ずインフルエンザにかかるわけではない」

「今がインフルエンザの季節でも、わたしがかからないで済む可能性はいくらでもある」

「わたしは健康でいたいし、そのほうが気分がいい」

「過去にインフルエンザにかかったときは、まだ自分で経験をコントロールできることを知らなかった」

「今は自分の思考のパワーを理解している。だから状況は変わった」

「今は『引き寄せの法則』のパワーを理解している。だから状況は変わった」

「今年、インフルエンザを経験しなければならない必然性はない」

「自分が望まない経験をしなければならない必然性はない」
「経験したいことのほうへ思考を向けることは可能だ」
「望む経験をするほうへ人生を動かしていこう。そう考えるほうが気分がいい」

これで、あなたは違う信念へと橋を架けた。ネガティブな考え方が戻ってきたら――しばらくは戻ってくるだろうが――意識して思考を別の方向に向ければいい。続けていれば、そのうちネガティブな考え方は起こらなくなる。

夢のなかの考えも創造につながるか?

ジェリー　夢の世界について知りたいのです。夢のなかでも創造しているのですか?　夢のなかの考え方や経験を通じても、物事を引き寄せているんでしょうか?

エイブラハム　いや、夢のなかでは創造していない。眠っているとき、あなたの意識は物質世界の時空という現実から離れている。眠っている間は、あなたは物事を引き寄せてはいない。

あなたが考えること（したがって感じること）と、あなたが引き寄せていることはいつも一致している。また、夢のなかで考え感じていることと、人生経験のなかに現れていることも常に一致している。**夢はあなたが何を創造したか、何を創造するプロセスにいるかを垣間見せてくれる。だが、夢を見ているときには、創造のプロセスは進行していない。**

実際の経験として起こるまでは、自分の思考パターンに気づかないことも多い。思考の習慣は長い時間をかけて徐々に出来上がっていくからだ。そして、望まない何かが現れてからでも、思考の焦点を修正して物事を望むように変えることは可能だが、現象として現れてしまったあとのほうが難しい。夢のなかの状態が本当に理解できれば、実際に経験として起こる前に自分の思考が向かっている方向を知るのに役立つ。**実生活の経験のなかに現れてからよりも、夢が示唆してくれているうちに考え方の方向を修正するほうがずっとやさしい。**

他人の善悪を引き受けなければならないか？

ジェリー　つきあう人たちが（望むと望まざるとにかかわらず）引き寄せることは、どの程度わたしたちとかかわってくるのでしょうか？　言い換えれば、つきあう人たちが引き寄せることは――わたしたちが望むことでも望まないことでも――どのくらいわたしたちの人生に持ち込まれるのでしょうか？

エイブラハム　あなたの関心が向けられない限り、何もあなたの人生には持ち込まれない。だが、ほとんどの人たちは、自分がつきあう人のどの部分に関心を寄せるかを意識して選んでいない。言い換えれば、他人のすべての部分に注意を向ければ、そのすべてを自分の経験のなかに招き入れることになる。いちばん好きなところにだけ関心を向ければ、その部分だけを自分の経験に招き入れることができる。

人生で出会う人は、あなたが引き寄せたものだ。信じられない場合もあるかもしれないが、その人たちとともにする経験も、すべてあなたが引き寄せている。人生経験はすべて、あなたが自分で引き寄せなければ起こらないのだから。

「悪に抵抗してはいけない」のか？

ジェリー　するとネガティブなものをはねつける必要はないってことですか？　ただ、望むものを引き寄せればいいということ？

エイブラハム　あなたが望まないものを押しのけることは不可能だ。なぜなら、押しのけようとすれば逆に対象の波動を活性化し、引き寄せることになるからだ。この宇宙のすべての基本は引き寄せの力だ。言い換えれば、排除ということはない。望まないものに「ノー！」と叫んでも、実はその望まないものを自分の経験に招き寄せてしまう。望むものに「イエス！」と言えば、その望むものを自分の経験に招き寄せるのだ。

ジェリー　聖書にある「悪に抵抗してはいけない」というのは、そういう意味なのかもしれませんね。

エイブラハム　何かに抵抗すれば、そこに焦点を定めて押しのけようとすることで、対象の波動を活性化する。したがって、その対象を引き寄せてしまう。だから、望まないからといって、抵抗したり押しのけたりしないほうがいいのだ。それに「悪に抵抗してはいけない」と言った人は、人間が「悪」とよぶものは存在していないことを理解している賢者だったのだろうね。

ジェリー　それでは、あなたの言う「悪」とはどんなものなのですか、エイブラハム？

エイブラハム　わたしたちの語彙《ごい》に「悪」という言葉が存在する理由がない。なぜなら、わたしたちの認識の対象には、「悪」というレッテルを貼るものがないから。人間が「悪」という言葉を使うときは、普通「善と対立するもの」を指している。人間は自分たちが考える「善」あるいは「神」と対立するものを指して「悪」と言うね。自分たちが欲するものと調和しないもの、それが「悪」だ、と。

ジェリー　それでは「善」は？

エイブラハム　「善」とは、これが欲しいと人々が信じているものだよ。善悪とは、欲しいか欲しくないかを区別する方法にすぎない。そして、欲しいか欲しくないかを決めるのは、欲求を持つ個人だけだろう。ところが、人間が他人の欲求に介入するとややこしいことになるし、他人の欲求をコントロールしようとすると、もっとややこしいことになる。

どうすれば自分が本当に欲しいものがわかるか？

ジェリー　今までいろいろな人の不安を聞いてきましたが、いちばん多いのは「自分が本当に欲しいものがなんなのかわからない」ということでした。どうすれば自分が本当に欲しいものがわかりますか？

エイブラハム　あなたがたがこの物質世界に生まれてきたのはなぜか？　人生でさまざまな多様性や対比を経験し、そのうえで自分の好みや欲求を決めるためなのだよ。

ジェリー　例えば、どんなプロセスで自分が欲しいものを見つければいいのか、教えていただけますか？

エイブラハム　人生の経験は、いつだって自分が欲しいものを探すのに役立ってくれる。自分がこんなのは絶対に「嫌だ」と思うときでさえ、その瞬間には何が欲しいのかが以前よりはっきりと見えるはずだ。それに「自分は何が欲しいのかを知りたい」と言葉にするのもいいことだ。欲求に意識的になれば、「引き寄せの法則」が働くプロセスが強化されるからだ。

ジェリー　**すると「自分は何が欲しいのかを知りたい」と言うと、その瞬間に自分が欲しいものを見つけるプロセスが始まっているのですか？**

エイブラハム　人生経験を通じて、必ず自分なりの見方、意見、好みがわかってくるよ。「これよりはあれのほうがいい」「これよりはあれのほうが好き」「これを経験したいが、あれは経験したくない」というように。細かい経験を積み重ねていけば、きっと自分なりの結論が出る。

実は、難しいのは何が欲しいのかを知ることではなくて、「欲しいものが手に入る」と信じることのほうだろう。信じられない理由は、「引き寄せの法則」の力強さを理解せず、自分がどんな波動を出しているかを意識していないから、自分の経験を意識的にコントロールした経験がないせいだ。多くの人は、何かを本当に欲しいと思い、必死に努力したのに、どうしても欲しいものに手が届かないという楽しくない体験をしている。なぜそうなるかといえば、欲しいものが手に入るという思考よりも、自分には欠如しているという思考のほうが支配的で、そちらの思考を発信しているからだよ。それで時間がたつうちに、欲しいものを手に入れるには必死になって努力して闘うしかないし、それでも失望させられるという印象が出来上がる。

だから「自分は何が欲しいのかわからない」という言葉の本当の意味は、「どうすれば欲しいものが手に入るかわからない」あるいは「欲しいものを手に入れるために必要だと思われる努力をしたくない」「一生懸命に努力しても、どうせ手に入れられなくて失望するだけだから、そんな努力はしたくない！」ということなのだ。

「自分は何が欲しいのかを知りたい！」とはっきり言葉にするのは、「意図的な創造」への力強い第一歩だ。しかしその次に、人生経験に引き入れたいと思うことに意識的に関心を向けるステップが必要だ。

ほとんどの人は、本当に欲しいものに意識して思考を向けていない。そうではなく、ただ周囲の出来事を見ているだけだ。だから、「いいな」と思うものを見れば明るく前向きの感情を抱くが、嫌なものを見れば暗いネガティブな感情を抱く。**自分の感情をコントロールして、人生で経験する出来事に前向きの影響を及ぼすことが可能だ、と気づいている人はあまりいない。**気づいていないから、そういうことに慣れていない。そのため練習が必要なのだ。だから「創造のワークショップ」をしなさいと勧めている。意識して思考を向け、心のなかに明るい気持ちを呼び起こす楽しいシナリオを創り上げると、「引き寄せの作用点」が変化し始めるだろう。

あなたが抱く思考に反応する宇宙では、実際にある現実を見て呼び起こされた思考と、自分の想像によって呼び起こされた思考は区別されない。どちらの場合も、思考が「引き寄せの作用点」となる。そしてそこに長い間焦点を定めていれば、やがてはそれが現実になるだろう。

青と黄色を望んだのに緑がきたが？

自分が何を望むのかがすべてはっきりしていれば、すべてにおいて望みどおりの結果になる。だが、あなたがたは、自分の望みをそこまではっきりわかっていないことのほうが多い。例えば「自分は黄色が欲しいし、青も欲しい」と言うとしよう。ところが、結果は緑になる。すると、「どうして緑になったんだ？　こんなことは意図していなかった」と言うだろう。だが、それは別の色が混ざり合ったから、そうなったのだ。わかるかな（もちろん黄色と青を混ぜれば緑になる）。

こんなふうに、無意識のレベルで意図が混ざり合い続けているのだが、とても複雑に入り交じっているから、意識的な思考で区分けしようとしても不可能だ。だが、あなたの「内なる存在」はきちんと区分けしている。そして、指針となる感情を送ってくる。必要なのは自分がどう感じるかに気をつけて、「これがいい」「これが楽しい」と感じることのほうへ近づき、そうでないことからは遠ざかることだ。

自分の意図をはっきりさせることに少しでも慣れてくると、人とつきあうとき、会ってすぐの段階で、そのつきあいが自分にとって価値があるかないかがわかるようになる。その人を自分の経験のなかに招き入れたいかどうかを知ることができる。

被害者はどんなふうに泥棒を招き寄せるか?

ジェリー 泥棒が盗む相手に引き寄せられるというのは理解できるんです。でも、罪もない被害者(と、よばれますよね)が泥棒を引き寄せるとか、差別される人が偏見を引き寄せるというのはどうも理解できません。

エイブラハム だが、それも同じことだよ。襲撃される人と襲撃する人は、その出来事を共同で創り上げている。

ジェリー　すると一方は自分が「望まない」ことを考えて望まない目にあい、一方は「望む」ことを考えてそれ（エッセンスである波動）を得るってことですか。言い換えれば、あなたがおっしゃる波動が一致するってことなのでしょうか？

エイブラハム　具体的に何かを望んでも望まなくても、違いはない。引き寄せられてくるのはあなたが関心を向ける対象のエッセンスである波動だ。だから本当に心から望むことは実現する。そして本当に心から嫌だと思うことも実現する。

何かについて感情的に激しい思考を抱かないでおくには、最初からそんな感情的な思考を持たずにいるしかない。初めはそれほど激しくなくても、のちに「引き寄せの法則」によってどんどん激しくなってしまうからだ。

新聞で誰かが泥棒にあったという記事を読んだとしよう。事件について読んだり聞いたりしただけなら、詳しい内容を読んで激しい感情を抱かない限り、引き寄せが働くほどの状態にはならない。だが、詳しい状況について読んだりテレビで見たり誰かと話したりして感情的な反応が起こると、自分も同じような経験を引き寄せるきっかけになる。

今年は国民の何パーセントが泥棒の被害にあうだろうという数字を聞けば、その確率がかなり高いこと、また大勢の人がそういう思考に刺激されるために確率はますます高くなっていくことが理解できるはずだ。そういった「警告」はあなたを泥棒から守るどころか、被害にあいやすくする。泥棒がどれほど多いか気づき、そちらの方向に何度も何度も関心が向けられて、やがて感情を伴って考えるようになり、それどころか予想までする。**あなたがたがいろいろと望まない目にあうのも不思議ではない。望まないさまざまなことに多くの「関心」を向けているのだから。**

傷害事件があったと聞いたら、こういうふうに考えるといい。「それは誰かの経験だ。自分はそれを選ばない」。そして、自分が望まないことについての考えは捨てて、望むことについて考える。**望むと望まざるとにかかわらず、あなたの思考が実現するのだから。**

あなたがたくさんの他人がいる環境に生まれたのは、ともに素晴らしい経験を創造したいと願ったからだ。あなたは大勢の人たちのなかから一緒に前向きの創造をしたいと思う人たちを選んで招き寄せることができるし、人生で出会う人たちのなかから自分が創造したいと思う経験を引き寄せることができる。**望まない人や経験から避けたり隠れたりする必要はないし、そんなことはまず不可能だ。だが、自分が楽しいと思う人や経験だけを招き寄せることは不可能ではない。**

ジェリー　子どものころ、わたしは病気がちでとても身体が弱かったんです。でも10代のころに身体を鍛えようと決めて実行し、身を守る方法も学びました。武術を習い、護身術にも精通しました。

10代から33歳になるまで、ほとんど毎週のように「殴り合い」に巻き込まれ、誰かを殴っていましたよ。でも33歳のとき、『タルムード逸話集』という本を読んで復讐がどれほど非生産的かを知り、大きな決心をしました。その一つが、「もう復讐はしないぞ」という決意だったのですが、それ以来、一度も人を殴ったことがありません。言い換えれば、人に突っかからなくなり、わたしにケンカを吹っかける人たち――そういうケンカ早い人たちにも、肉体的にも精神的にもケンカはやめようと決意してからは、ぜんぜん出会わなくなったのです。

エイブラハム　あなたは33歳のときに、関心を向ける方向を変えたのだ。毎週のようにケンカをして暮らしていた経験から、自分が何を望み何を望まないかについて、いろいろなことを考えただろう。そしてケンカをするたびに、意識的にではなかったかもしれないが、もうこんな経験はしたくないという思いが明確になっていった。

あなたは傷つくことも嫌だったし、傷つけることも嫌だった。そしてケンカをするには理由がある、自分が絶対に正しいと思いつつも、あなたのなかで「こうありたい」という好みが明確になった。『タルムード逸話集』という本に引かれたのは、そういう意識があったからだ。そして、読んだ本があなたのなかのさまざまなレベルで生じていた疑問に答えてくれた。その答えとともに新たな意図が明確になり、あなたのなかで新しい「引き寄せの作用点」が生まれたのだ。

似たものが引き寄せられる？　自分にないものに引かれる？

ジェリー　エイブラハム、あなたの言葉と矛盾するんじゃないかと思う言葉があります。「自分にないものに引かれる」という言葉です。これは「似たものが引かれ合う」というあなたの教えとは違うようですね。でも、反対のもの、自分にないものに引かれるということがあるんです。例えば、外向的な男性が内気な女性と結婚するとか、外向的な女性が物静かな男性に魅力を感じるとか。

エイブラハム　あなたが見るものも知っている人もすべて、波動という信号を出している。その信号が一致しなければ、引き寄せは働かない。だから、いくら違っているように見える人たちも、引かれ合うなら支配的な波動が似ているはずだ。それが「法則」だから。人のなかには「欲する対象への波動」と「欲するが欠落している対象への波動」があり、経験はすべて支配的な波動と一致している。例外はない。

「調和」という言葉で考えてみよう。二人がまったく同じなら、両者の意図は満たされない。言い換えれば、売りたい者と売りたい者が一緒にいてもうまくいかない。だが、買いたい者を引き寄せれば「調和」がもたらされる。

物静かな男性が外向的な女性に引かれるのは、もっと外向的になりたいという気持ちがあるからで、だから実際には自分の意図する対象に引かれているのだ。

磁力を帯びた鉄鍋はほかの鉄製品（ボルトや釘や鉄鍋）を引き寄せるが、銅やアルミの鍋は引き寄せない。

ラジオを98・7メガヘルツのFM放送に合わせたら、630キロヘルツのAM放送の信号は受信できない。両方の周波数が合わなくてはならないから。

宇宙のどこにも、反対の波動が引き合う証拠はまったくない。それはあり得ない。

引き寄せたものが不本意なときは？

ジェリー　それじゃ、本当に心から欲していたものをやっと引き寄せたら、それが非常に嫌な状況だった、という場合はどうですか？　実現してみたら、苦痛だったという。

エイブラハム　人ははるか遠くで、何を望むかを決めることがよくある。ところが、その欲求に焦点を定めて、真の欲求と波動がぴったり合致するまでいろいろな波動を出し、「引き寄せの法則」の力がはるかな宇宙に働いて完璧に一致した結果を引き寄せるように仕向けるならいいが、せっかちにいきなり行動して欲求を実現しようとする場合がある。だが、波動の中身が十分に改善されないうちに行動すると、欲求ではなくて、そのときの状況の波動と一致した結果が実現してしまう。

波動に習熟するまでは、実際に望むものの波動と自分が出している波動には大きなギャップがあるのが普通だ。だが、実現するのは例外なく、あなたが出している波動と一致する出来事だ。

例えば、ある女性が言葉や暴力で虐待するパートナーとの困った関係を清算したとしよう。「もうこんな目にあいたくない、嫌だ」と思う。それどころか、以前のパートナーとの暮らしを嫌悪している。彼女は今自分が何を望まないかをよく知っているし、何を望むかもはっきりとわかっている。彼女が望むのは自分を愛し尊敬して優しくしてくれるパートナーだ。ところが、彼女はパートナーがいないととても不安で、早く新しいパートナーが欲しいと思う。そして、すてきな新しい恋人を見つけようとなじみの場所に出かける。だが彼女は、「引き寄せの法則」は依然として自分の支配的な波動に働いている、ということに気づいていないかもしれない。その状況での支配的な波動とは、彼女が望まないほうの波動だ。彼女の思考のなかでは以前の人間関係の望まない部分のほうが支配的で、新しい意図よりも強い。彼女は孤独と不安をまぎらわせたくて行動に出て、新しい人間関係に飛び込む。そして、自分のなかの支配的な波動と一致した結果が起こる。

彼女はもっと時間をかけてゆっくりと自分が何を望むかを考え、その思考が支配的な波動になるまで待つべきだった。そうすれば、「引き寄せの法則」が、新しい素晴らしいパートナーを引き寄せてくれただろう。

ジェリー　なるほど、わかりました。つまり「思惑が外れた」わけですね。

エイブラハム　だから「創造のワークショップ」が役立つ。ワークショップを実行して素晴らしい可能性のすべてをまざまざとビジュアル化して描き、本当に望むことが実現したときの感情を体験し、気分のいいことに焦点を定める努力をすれば、そんなふうに思惑が外れることはないだろう。自分が望むことを支配的な波動にする方法がわかれば、そしてその波動に「引き寄せの法則」が働けば、結果に驚くことはなくなる。それどころか、心のなかで考えていた素晴らしいことが実現する兆しが見えてくるはずだ。

すべては思考でできている？

ジェリー　どんな人でも、どんなものでも思考からできているのですか？　それとも思考を媒介にしてできているんですか？　それとも、どっちでもないんでしょうか？

エイブラハム　思考からできているし、思考を媒介にもしているので、両方正しい。思考は「引き寄せの法則」によってほかの思考に引き寄せられる。思考とは「引き寄せの法則」が働く波動だ。思考はモノもしくは言明であり、同時にすべての物事が引き寄せられ、創造される道具（ヴィークル）でもある。

あなたがたがいる世界を、かつて思い浮かべられ、検討され、考えられ、存在するといいと思われたあらゆる食材が限りなく豊富に用意されたキッチンだと考えてごらん。あなたはシェフで、自由に好きな食材をいくらでも棚から選び、それを使って今自分が楽しいと思うケーキを作るんだよ。

喜びと幸福と調和をもっと得るためには？

ジェリー　誰かがこう言ったら、どうでしょうか？「エイブラハム、わたしはもっと楽しみたい。あなたの教えを生かして、もっとたくさんの喜びと幸福と調和を引き寄せるにはどうすればいいですか？」

エイブラハム　まず、その誰かに、すべてのなかでいちばん大切な欲求を発見できてよかったね、と褒めてあげよう。喜びを求めるのは、いちばん大切なことだから。喜びを求めて発見すれば、自分の「内なる存在」としっくりとかみ合うだけでなく、求めるもののすべてと波動が一致する。

自分にとって喜びが本当に大切なものになるなら、心地よい物事にしか焦点を定めなくなる。そして心地よいことだけを考えれば、結果として望むすべてが満ちあふれる、素晴らしい人生を創造することになるだろう。
楽しく生きたいと願い、自分の感情に敏感になって、心地よいほうへ、もっと心地よいほうへと自分の思考を導いていくと、波動が改善され、「引き寄せの法則」によって自分の望むものだけが「引き寄せの作用点」に引き寄せられる。

自分の思考を意図的に導くこと、それが楽しい人生の鍵だが、楽しい人生を送りたいと望むことは最高の人生プランだ。喜びを求めれば、自分が望む素晴らしい人生を引き寄せる思考が見つかるからだ。

喜びを求めるのは利己的か?

ジェリー　いつも楽しんでいたいなんて、とても利己的な生き方だと、喜びを求めることが悪いみたいな言い方をする人もいるでしょうね。

エイブラハム　わたしたちの教えは自己中心的だとよく非難されるし、確かにわたしたちの教えは自己中心的だが、それは自己中心的な人生観以外の人生観はあり得ないからだよ。自己中心的というのは、「自分自身を意識する」ということ。どんな自分自身を思い描いているかということだ。自分に焦点を定めているか他人に焦点を定めているかにかかわりなく、あなたは常に自己中心的な視点で行動するし、あなた自身の感情が「引き寄せの作用点」になるのだ。

だから自分の視点に立って、自分が心地よく感じる生き方に焦点を定めていれば、「引き寄せの作用点」は、あなたが心地よく感じるものを引き寄せるように働く。

だが、自己中心的ではなくて、心地よく感じる生き方ではなく心地よくない生き方に焦点を定めれば、「引き寄せの作用点」は、あなたが心地よくないと感じるものを引き寄せるように働く。

自己中心的で、自分がどう感じるかを重視し、自分の「内なる存在」と本当に結び付いた生き方のほうへ思考を方向づけない限り、他人に何かを与えることもできない。

誰でも自己中心的だ。

それ以外の生き方はあり得ない。

与えるのと受け取るのと、どっちが上？

ジェリー　それじゃ、受け取るのも与えるのも同じように正しくて楽しいと、そうおっしゃ

るんですね？　言い換えれば、一方が他方より倫理的に優れているとはお思いにならないのですね？

エイブラハム　強力な「引き寄せの法則」の働きによって、あなたが自分自身の波動を通じて与えるものは、同時に受け取るものでもある。**「引き寄せの法則」によって物事は常に正確に仕分けされ、それぞれの思考に合致したものがもたらされる。**だから「幸せ」な思考をしていれば、いつだってそれと合致したものを受け取る。憎悪の思考をしていれば、憎悪に「引き寄せの法則」が働くから、愛情いっぱいの結果になるはずがない。それが「法則」だ。

人はたいてい行動やモノを指して与えるとか受け取るというが、「引き寄せの法則」はあなたがたの言葉や行動に対応して働くのではなく、その言葉や行動のベースである波動に働く。

あなたが誰か困っている人に出会ったとしよう。お金がないとか、交通手段がない、食べ物がない、という人だ。あなたはそういう人を見て悲しくなり（それはあなたがその人の欠落状態に着目し、欠落に対応する波動を起こすから）、悲しい気持ちでお金や食べ物をあげようとする。そのときあなたが伝えている波動は、こんなふうに言っているのと同じだ。「あなたは自分でどうすることもできないようだから、わたしがしてあげよう」。あなたの波動は「幸せの欠落」に焦点があり、したがってお金や食べ物をあげたとしても、あなたの支配的な波動は**「欠落を永続させる」ほうへ働く。**

そこで、ちょっと時間をとって、その人の境遇がよくなることを想像してみるといい。その人が成功して幸せになることを考え、それがあなたのなかの支配的な波動になってから、そのときの感情をベースに行動して、何かを提供したければする。こうすれば、あなたがその人に関心を向けたときの支配的な波動によって、相手からも幸せと一致する波動を引き寄せる。わたしたちに言わせれば、それだけが価値ある与え方なのだ。

問題は「与えるのと受け取るのとどちらが上か」ではない。「望ましいことに焦点を定めるのと、望まないことに焦点を定めるのと、どっちが上か?」「成功を信じて相手を励ますことと、現状を重視して押しつぶすことと、どっちが上か?」「自分の『内なる存在』とかみ合ってから行動するのと、かみ合わないままに行動するのと、どっちが上か?」「相手の成功を促すことと、失敗を促すことと、どっちが上か?」それが問題なのだよ。

他人に与えることができる最大の贈り物は、相手の成功を期待することだ。

人生の見方は人の数だけあり、さまざまに違っている。あなたは、誰もが同じで、同じことを望み、同じことを獲得する世界を創るために生まれてきたのではない。自分が望む生き方をし、人もそれぞれ望む生き方をすることを認めるために、この世界にいる。

自己中心的だと世界は混乱しないか？

ジェリー　あら探しみたいな議論になるかもしれませんが、地球上の自己中心的な存在のすべてが望むことをすべて実現したら、世界はめちゃくちゃになるのではありませんか？

エイブラハム　「めちゃくちゃ」になどならない。人は「引き寄せの法則」を通じて自分の意図に調和した人たちを引き寄せる。そうすれば世界はとてもバランスのとれた場所になる。あなたがたが参加した世界、この広くて素晴らしい「キッチン」には、ありとあらゆる多様なものが十分に存在しているのだ。

苦痛を感じている人を助けるには？

ジェリー　わたしは素晴らしい人生を楽しんでいますが、周りの世界にはとても辛い苦しい思いをしている人たちがいます。誰もが苦痛のない人生を送るために、わたしには何ができるでしょうか？

エイブラハム　あなたには他人の経験を創造することはできない。他人に代わって思考することはできないから。それぞれが考える思考、発する言葉、あるいは行動が、その人たちの「内なる存在」からの感情的な反応（苦しみ）を引き起こしている。**その人たちは望まないことに思考を向けることによって、自分で苦しみを創造している。**

さて、あなたに何ができるかといえば、喜びの実例を示すことだ。望むことだけを考える者、望むことだけを口にする者、望むことだけを実行する者――したがって、喜びの感情だけがわく存在になってみせることだ。

ジェリー　それならできます。自分は自分が望むことや喜びに焦点を定め、人がそれぞれ経験するのを受け入れることを学べばいいんですね。それではわたしが人の辛い体験に焦点を定めると、自分でも辛い体験を創造してしまいますか？　そうしたらその辛い体験の例を示すことになりますね。

エイブラハム　誰か辛い思いをしている人と出会い、その辛い状況を見たあなたは、その人が辛い状況から脱出する方法を見つけることを願うとする。それなら、その人の苦痛は一瞬あなたをかすめるだけで、あなたはすぐにその人の楽しい状況に思考を向ける。そのあと、その人が辛い状況を見事に解決することに揺るがぬ関心を集中していれば、あなたは苦痛を感じないし、その人が解決策を見つけるきっかけになることもできるだろう。それが真の励ましだ。しかし、その人の苦痛や苦痛の原因となっている状況にだけ焦点を定めていたら、あなた自身のなかにそれと一致する波動が起こり、望まないことを引き寄せて、あなたも苦痛を感じ始めるだろう。

楽しい例を示すことが鍵か？

ジェリー　それでは、自分が喜びを求め続けることが鍵なんですか？　そういう実例を示し、人の場合はそれぞれが自分で（どんな方法であれ）選んだ体験をするのを許容する——心から許容する——それでいいんですか？

エイブラハム　実際、人の場合はそれぞれが自分で引き寄せた体験をするのを見ているしかない。あなたが人に代わって考えたり波動を起こしたりすることはできないからだ。したがって、人に代わって何かを引き寄せることもできない。

真に「許容し可能にする」とは、人が何をしようと、自分自身はバランスをとって自分の喜びを感じていることだ。あなたがバランスのとれた状態で、自分自身の「内なる存在」とつながり、宇宙の素晴らしい生命の源と調和し、そのうえで他人に関心を定めれば、その人たちのためにもなる。その人たちの関心の対象となるあなたが心地よければ、それだけあなたの前向きな影響力は大きくなる。

人がそれぞれ望む（あるいは望まない）生き方をすることを「許容」できるようになれば、人が何をしていてもそれで自分がネガティブな感情になることはない、とわかるだろう。あなたが「許容し可能にする者」になったら、すべての人の体験を眺めて喜びを感じるだろう。

あなたの質問に答えて三つの「法則」のうちの重要なことを説明しているうちに、話が一巡したようだ。

「引き寄せの法則」はあなたの思考の波動に応じて働く。

意図的に心地よい思考を選ぶことで、あなたは「内なる存在」、真のあなたという存在につながることができる。あなたが真の自分とつながっていれば、あなたが関心を向ける人たちは誰でもその恩恵を受ける。そしてもちろんあなたは喜びを感じる！

やがて、あなたは自分の感情に敏感になり、思考を意図的に方向づけることに習熟して、いつも前向きの引き寄せが働く状態になるだろう。そのときに初めて、あなたは人がそれぞれ選んだ体験を創造するのを安らかに見られるようになる。**自分は望まないことに影響されないこと、すべては自分の思考を通じて招き寄せていることを理解したとき、あなたは（どんなに近しい人であっても）他人の生き方に二度と脅かされなくなる。他人の生き方があなたの体験に入り込むことはないのだから。**

ネガティブなことを考えて、前向きでいられるか？

ジェリー　それではネガティブなことに関心を向けたり、ネガティブなことを考えたりしながら、ネガティブな感情にならないでいるには、どうすればいいですか？

エイブラハム　それは無理だ。そんなことは試みないほうがいい。言い換えれば、決してネガティブな感情を抱かないぞというのは、「ナビゲーションシステムはいらない。感情というナビゲーションシステムには注意を払わない」と言っているのと同じだ。それはわたしたちの教えとはまったく違う。わたしたちは、感情に敏感になり、そのうえでほっと解放感を感じる方向へ思考を導いていきなさい、と勧めている。

ちょっとネガティブな思考に焦点を定めれば、少し（望まない）ネガティブな感情を抱くだろう。自分の感情に敏感で、心地よくありたいと思っていれば、あなたは思考を変えるはずだ。小さな思考、小さな感情であるうちは変更もしやすい。それが大きな思考、大きな感情になってからでは、変更は難しくなる。感情の強さは、「引き寄せの法則」によって集積した思考の量に比例する。望まないことに焦点を定めている時間が長ければ、その思考はますます大きく強力になる。だが感情に敏感で、望まない対象からすぐに関心をそらせば、またすぐに心地よくなり、望まないものが引き寄せられるのを防げる。

幸せを確実にするための言葉とは？

ジェリー　例えば「完璧な健康」というように、さまざまなものを引き寄せるために役立つ言葉を教えてもらえますか？

エイブラハム　「わたしは完璧な健康を望む！」「心地よくありたい」「わたしは心地よい自分の身体を楽しむ」「身体について心地よく明るい思い出がたくさんある」「たくさんの健

やかな人たちと出会い、その人たちが心地よい身体を楽しんでいるさまを眺める」「こういうことを考えていると心地よい」「こういう考えは健康な身体とよく調和している」

ジェリー　**完璧な経済的繁栄はどうでしょう？**

エイブラハム　「わたしは経済的な繁栄を望む！」「この素晴らしい世界には楽しくて素晴らしいことがたくさんあり、経済的な繁栄はそんな楽しいことへの扉を開いてくれる」「『引き寄せの法則』は思考に応じて働くから、繁栄という自分の思考に経済的繁栄の流れが合致するのは時間の問題であることを心得て、わたしは実現可能な豊かさにしっかりと焦点を定める」「『引き寄せの法則』によって関心の対象が引き寄せられるから、わたしは豊かさを選ぶ」

ジェリー　**素晴らしい人間関係は？**

エイブラハム　「わたしは素晴らしい人間関係を望む！」「わたしは人柄がよくて賢くて楽しくてエネルギッシュで刺激的な人たちとの交わりを楽しみ、この地球にはそういう人たちがたくさんいることをうれしく思う」「わたしは大勢の興味深い人たちに出会ってきたし、出会う人々の魅力的な性格を知るのが大好きだ」「人とのつきあいを楽しめば楽しむほど、さらに多くの楽しい人たちと出会えるように感じる」「わたしはこの優れた共同創造のときを愛している」

ジェリー　見えない世界の前向きな体験についてはどうでしょうか？

エイブラハム　「わたしはこの世のものでも見えない世界のものでも、自分と調和した物事を引き寄せることを望む」「『引き寄せの法則』は素晴らしいと思うし、自分が心地よいときには心地よいものだけが引き寄せられてくることを知っているので安らかだ」「わたしは見えない世界の事柄の基盤は純粋で前向きなエネルギーであることを理解している」「わたしはそのような『源（ソース）』と出会うために、『感情というナビゲーションシステム』を楽しんで活用する」

ジェリー　そして、喜びに満ちた成長を続けるには？

エイブラハム　「わたしは成長したいと願う存在であり、成長と拡大が自然であるばかりでなく不可避であることがとても楽しい」「選択さえすれば、喜びを体験できることを知っているのがうれしい」「成長と拡大は不可避だから、わたしはそのすべてを実現することを、喜びとともに選択する」

ジェリー　これで、望むものが実現しますか？

エイブラハム　言葉を口にしたからといって求めるものが直ちに現れるわけではないが、繰り返し口にすればするほど、そして心地よく口にすればするほど、波動は純粋になり、矛盾が少なくなる。間もなくあなたの世界はあなたの言葉どおりのことで満ちあふれるだろう。言葉だけが引き寄せるのではないよ。だが、言葉を口にしたときに生き生きした感情がわけば、それは波動が強いからで、「引き寄せの法則」はきっとその波動に反応して働くだろう。

ジェリー　あなたは成功とはどんなものだと思われますか？　成功のしるしって、なんでしょうか？

エイブラハム　トロフィーでも、お金でも、人間関係でも、物事でも、あなたが望むことが実現すれば、それは成功だ。だが、喜びの実現を成功の物差しにするなら、すべては簡単に収まるべきところに収まる。喜びを見いだすとき、あなたは自分の波動が宇宙の源と調和していることに気づくだろう。

望まない何かに焦点を定めているとき、あるいは望む何かが欠如していることに焦点を定めているとき、喜びは感じない。したがって喜びを感じていれば、波動が矛盾することはない。思考と波動が矛盾しているときにのみ、望みの実現が遠ざかるのだ。

おもしろいことに、大勢の人たちが人生経験を測る物差しを探して多大の時間を費やしている。本当は自分のなかに非常に高度で正確でいつでも使えるナビゲーションシステムがあるのに、自分の外に善悪の区別を教えてくれるものを求めている。

この「感情というナビゲーションシステム」に注意していれば、そして今自分がいる場所で見つかるいちばん心地よい思考だけを心がければ、視野が広がって、本当に望むもののほうへ進みやすくなる。

物質世界の時空という明暗のはっきりした素晴らしい現実のなかを進むとき、自分の感情に敏感になって心地よいほうへと思考を導けば、やがては「内なる存在」という広い視野で人生を見られるようになる。そして、自分が見えない世界の視野で選んだ道を歩いているという満足感を覚えるだろう。これは、見えない世界にいて、物質世界の素晴らしい身体に宿ることを決意をしたときと同じ視野のことだ。見えない世界の視野が得られたとき、自分が永遠に進化していく存在であること、この明暗著しい最前線の環境には素晴らしいチャンスがあることが理解できる。さらに自分が持つ素晴らしいナビゲーションシステムの性質を理解し、そのシステムを使うことに慣れれば、「内なる存在」と同じ見方でこの世界を見られるようになる。すべての創造者の自由意志に応じて働く「引き寄せの法則」の力強さ、公正さ、正確さもわかってくる。

見いだせる限り最も心地よい思考を心がけることで、あなたは見えない世界の視野に再び接触できる。そして生きる目的、人生への情熱、それに自分自身に再び触れて、歓喜に震えるだろう。

Part 3

意図的な創造の方法論

「意図的な創造の方法論」の定義

ジェリー　エイブラハム、あなたは「意図的な創造」ということをおっしゃいました。「意図的な創造」とはどんなことか、わかりやすく話していただけますか？

エイブラハム　「意図的な創造の方法論」と言ったのは、あなたがたが目的を持って創造したいと思うだろうと考えたからで、本当は「創造の法則」と言うほうが正確だ。あなたがたが望むもののことを考えていても、望まないもののことを考えていても、この法則は働いている。望むもののことを考えていても、望むものの欠落のことを考えていても（どこに思考を向けるかを選ぶのはあなたがただ）「創造の法則」はあなたの考えに働く。

物質世界から見ると、この創造の方程式には二つの重要な要素がある。「思考を向けること」と「思考の実現を期待すること」——創造の「欲求」と創造を「許容し可能にすること」の二つだ。わたしたちの見えない世界では、この方程式の両要素は同時に体験される。欲求と十分な期待の間に差はない。

ほとんどの人は自分の思考の力にも、自分という存在の本質が波動であることにも、強力な「引き寄せの法則」にも気づいていないから、「行動」がすべてを引き起こすと思っている。あなたがたが焦点を結んでいる物質世界では確かに行動も重要な要因だが、物質世界の経験は行動を通じて創造されるのではない。

思考の力を理解し、意図的に思考を差し向けることに習熟すれば、「欲して、許容し可能にした」ことだけを引き起こす強力な「創造のてこ」を発見できる。あらかじめ道を敷けば、つまり前向きの期待とともに考えれば、必要な行動ははるかに少なくて済むし、はるかに満足できる結果が得られる。きちんと時間をかけて思考を整えておかなければ、余計な行動が必要になるうえに、結局は満足できる結果にならないのだ。

あなたがたの世界にある病院には、不適切な思考の結果をなんとかしたいという人たちがあふれている。その人たちは意図して病気を創り出したのではないが、それでもやはり——思考と期待を通じて——自分で病気を創り、それからその病気という結果をなんとかしようとして病院に行く。それにわたしたちが見るところ、毎日大勢の人が自分の行動をお金と交換している。それは、この社会で自由に暮らすにはお金が不可欠だからだ。だが、ほとんどの場合、その行動は楽しくない。調子の乱れた思考の結果を、行動によってなんとかしようとしているにすぎない。

あなたがたは目的を持って行動する。それは、あなたがたが生きる物質世界の醍醐味の一つだ。だが、あなたがたの本来の意図は、物理的な行動を通じて創造することではない。

思考を通じて創造した結果を身体を使って楽しむ、それがあなたがたの目的だ。

まず前向きの明るい感情とともに思考を未来に向け、創造が始まる。あなたがたはこの時間と空間の世界で、創造の果実である現象がそこにあると期待して未来に向かって歩く。**そうすると、あなたがたが未来に向けて開始した楽しい創造から、楽しい行動のインスピレーションがやってくる。**

今を基に行動しても、それが楽しい行動でなければ、決して幸せな結果にはつながらない。そんなことはあり得ない。「法則」に反しているからだ。

だから、望むものを手に入れようとしていきなり行動に走るのではなく、「望むものが実在すると考えなさい」とわたしたちは言っている。望むものをビジュアル化し、はっきりと見て、期待する——そうすればそれは実現する。自然に道がわかり、インスピレーションが与えられ、完璧な行動に導かれ、求めるものにつながるプロセスが開かれる。それなのに、わたしたちが話していることと世間の大半の人たちのやり方には大きな違いがある。

思考を向けることで、招き寄せる

「意図的な創造のプロセス」に関する知識を物質世界に住む友人たちに授けようとすると、

よく抵抗にぶつかる。人生で自分が望まない体験をしている人たちがいるからだ。その人たちは「すべてはあなたが招き寄せた」と言われると、「エイブラハム、わたしがこんなことを招き寄せたりするわけがない。こんなことは望んでいなかった！」と反論する。

どうしてそんなことになるのか理解してもらいたいからこそ、わたしたちはこの情報を一生懸命に伝えている。あなたがたがもっと理解したうえで、いろいろな出来事を引き寄せるようになってほしい。そして望むことを意識的に引き寄せ、望まないことは引き寄せないで済むようになってほしいからだ。

あなたがたが意図的に招き寄せ、引き寄せ、創造しているのではないことはわかっている。それでも、あなたがたは自分で招き寄せ、引き寄せ、創造しているのだ。なぜなら、あなたがたが思考をそちらに向けて、引き寄せているから。あなたがたは「気づかずに」思考を向け、その思考にあなたがたが理解していない「法則」が反応して働き、あなたがたには理解できない結果が生じる。だから、わたしたちはこうしてやってきた。あなたがたに「宇宙の法則」を教え、自分がどうして今のようになっているか理解してもらいたいから。どうすれば自分の人生を意図的にコントロールできるかをわかってもらいたいから。

物質世界の存在の大半は、物質世界にすっかりはまりこんでいて、見えない世界との関係にほとんど気づいていない。例えば、あなたが寝室で明かりをつけたいと思い、ベッドサイドのランプのスイッチを押すと部屋が明るくなる。あなたは「スイッチを押したから、明るくなった」と説明するかもしれない。だがいうまでもなく、明かりがつくまでにはもっといろいろなことが起こっている。物質世界で経験するさまざまなことも、それとまったく同じだ。あなたがたの説明は、何がどうして起こるかということのほんの一部でしかない。その残りの部分を説明するために、わたしたちはやってきた。

あなたがたは大きな意図と目的を持って、もっと広い視野を持つ見えない世界からこの物質世界の次元に現れた。この物質世界でいろいろな体験をしたかったからだ。それに物質世界の経験は今回が初めてではない。あなたがたは今までに何度も物質世界の人生を経験したし、見えない世界も経験した。今回、物質世界に現れたのは、常に進化し続ける「存在」としての──身体や物質世界の五感を通じては知り得ない、だが確かな存在である──本当のあなたのもっと広くて大きくて常に成長し、喜びを求め、進化する部分に、さらにこの世界の経験を付け加えたいからだ。

「内なる存在」と「わたし」のコミュニケーション

あなたがたは自分の経験の創造者だし、意図的に創造するのはとても楽しいことだ。それを思い出させる手助けをしたいと、わたしたちは願っている。あなたがたのなかの見えない世界に属する部分、あなたがたの「内なる存在」は、あなたがたの行為のすべてを知り、すべてにかかわっている。

あなたがたはこの物質世界の身体に宿る以前の過去生を覚えていないが、「内なる存在」は過去生のすべてを覚えていて、この時間のなかのあらゆる瞬間を可能な限り楽しく生きられるようにと、いつも情報を提供してくれている。

あなたがたは過去生の記憶を持たずに今回の生に生まれ出た。過去生の細かい記憶は邪魔で、今あなたがたが持っている力を妨げるだけだからだ。だが、あなたがたは「内なる存在」との関係を通じて、もっと幅広い視野を持った「全的な自分」の知識にアクセスすることができる。あなたがこの物質世界の身体に宿ったその日から、あなたのなかのもっと広い部分とのコミュニケーションは存在しているのだ。そのコミュニケーションはいろいろな形で行われるが、あなたがたすべてに開かれている基本的なコミュニケーションは、あなたがたの感情だ。

すべては心地よいか、よくないかのどちらか

あなたがたの感情はすべて例外なく、「内なる存在」がその瞬間のあなたの思考、会話、行動が適切かどうかを知らせるコミュニケーションである。言い換えれば、思考の波動があなたの全体的な意図と調和していないと、「内なる存在」は暗いネガティブな感情を送ってくる。言葉や行動の波動が本当のあなたやあなたが欲していることと調和していないと、「内なる存在」は暗いネガティブな感情を送ってくる。同様に言葉や行動の方向があなたの目的と調和していれば、「内なる存在」は明るい前向きの感情を送ってくる。

感情には二種類しかない。一つは心地よいという感情、もう一つは心地よくないという感情だ。もちろん感情がわき起こる状況によってよび方はいろいろ異なるかもしれない。だが、この（感情という形であなた自身のなかから発信される）「ナビゲーションシステム」がすべてを見通す広い視野を持って語りかけていることを知っていれば、このシステムを利用して、今ここにおける目的のすべて、それに物質世界の身体に宿ったときに抱いていた目的のすべてに照らして判断できることがわかるだろう。そしてあなたがたは、あらゆる瞬間に、自分が抱くすべての欲求と信念を細かく分析し、絶対的に適切な判断をする能力を有していることがわかるだろう。

自分のなかにある指針は信頼できる

多くの人は自分の直感的な指針を棚上げにして、親や教師や専門家やいろいろな教え・信条の指導者の意見を指針にしようとする。だが、ほかに指針を求めれば求めるほど、自分自身の賢明なアドバイスから離れてしまう。わたしたちが物質世界の友人たちに本当の自分自身を思い出させて、自分のなかにある「ナビゲーションシステム」と再びつながる助けをしようとしても、彼らはためらう。「自分には価値がない」「自分は正しくない」と思い込んで、自分自身の指針、自分の良心を信じて前進するのを恐れる。何が適切なのか、自分よりもっとはっきり知っている者がいる、と信じているからだ。

だがわたしたちは、あなたがたが価値のある力強い存在であること、この時空の現実に生まれ出たのはなぜかということを思い出すための力になりたい。この明暗著しい素晴らしい環境を探検しようというあなたがたの本来の意図を、そしてそれがさらに新しい意図を次々と生み出すと知ってその意図を抱いたことを、思い出してもらいたい。それから本当の自分——「内なる存在」「全的な自分」「源（ソース）」——は、拡大成長を楽しんでいることを思い出してもらいたい。あなたがたはあらゆる瞬間に、感情の力を通じて、自分が大きな広い視野で現状を見ているのか、それとも違う性質の思考を選ぶことで「源（ソース)」から自分を切り離してしまったのかを感じ取れる。そのことを思い出してもらいたい。言い換えれば、愛を感じるときには、対象に対する見方が「内なるあなた」の見方と一致している。憎悪を感じるときには、「内なるつながり」なしに対象を見ているのだ。

あなたがたはこのすべてを直観的に知っている。若いうちは特にそうだが、ほとんどの人は、周りの年長者や自称「賢者」に、自分の直観などあてにしてはならないと強く言われて、だんだん自信をなくしていく。

だから、物質世界にいるあなたがたのほとんどは自分自身を信頼していないが、実はあなたがたのなかから出てくるものこそ信頼できるすべてなのだから、わたしたちは驚くほかない。あなたがたは自分を信頼する代わりに、何が正しくて何が間違っているかを教えてくれそうなルールや(宗教的あるいは政治的)集団を探して、物質世界における人生のほとんどを過ごす。それから、その——通常は何千年も前に作られた——古いルールを現在の新しい人生経験に合わせようとして、自分の「四角い杭」を他人の「丸い穴」に打ち込もうと試みて人生の残りの時間を費やす。わたしたちが見るところ、その結果はフラストレーションか、よくても混乱である。それにまた、誰のルールがいちばん適切なのかという争いで、毎年大勢の人が死んでいる。そこで、わたしたちは断言する。すべてに適用される不変の総合的ルールなどは存在しない。なぜならあなたがたは常に変化し、成長を求める「存在」

なのだから。

家が火事になったとき、消防車が――大きくて長いホースや消火用の水などとともに――駆けつけて放水し火を消してくれたら、「適切な行動だった」とあなたがたは言うだろう。だが火など出ていない日に同じ消防車がやってきて、家じゅうに水を撒き散らしたら、「適切な行動じゃない！」と言うはずだ。

お互いについてあなたがたが決める法も、これと同じことだ。過去の法やルールの大半は現在生きているあなたがたには適切ではなくなっている。成長を意図していなかったら、あなたがたはこの物質世界に生まれ出はしなかった。あなたがたは常に拡大し、変化し、成長を求める存在としてこの世界に生まれ出た。自分が既に理解していることに、さらに何かを付け加えたいからだ。あなたがたは「存在するすべて」に、さらに何かを付け加えたいと思っている。はるか昔に作り出されたものが究極なら、現在、あなたがたが存在する理由は何もない。

感情を通じて創造をコントロールする

あなたがたは「自分自身の現実の創造者」だというわたしたちの言葉は、初めは喜びとともに受け入れられる。なぜなら、ほとんどの人は自分自身の経験をコントロールしたいと願っているから。だが、自分に起こるすべては自分が自分の思考によって引き寄せた(望むと望まざるとにかかわらず、考えたことが実現する)とわかってくると、あなたがたは思考をいちいち監視し、分類し、自分の望みを実現する思考だけを差し向けるという、とてつもない作業をしなければならないと思い、不安になったりする。

わたしたちは「思考を監視しなさい」などと言うつもりはない。それは信じられないほど時間のかかる面倒な作業だから。そうではなくて、「感情というナビゲーションシステム」を意識的に活用しなさい、と勧めるのだ。

自分がどんなふうに感じるかに注意していれば、それほど思考を監視する必要はない。心地よければ、その瞬間に語り、考え、行動していることは、あなたの意図に沿っている。心地よくなければ、あなたの意図と調和していない。要するに、暗いネガティブな感情が起こるときには、その瞬間のあなたは思考や言葉、行動を通じて誤った創造をしているわけだ。

だから何を望むかをもっと意識し、意図をもっと明確にして、そのうえで自分の感情にもっと敏感になれば、「意図的な創造のプロセス」は完成する。

あなたの意図に沿うか、沿わないかが問題

普通ここまで話すと、次のような大きな疑問が投げかけられる。「エイブラハム、自分のなかから生じることが信頼できるなんて、どうしてわかるのですか？　わたしより立派な人がいろんなルールを作り、『これをしなさい』『こういう人間になりなさい』と言っているではありませんか？」。そこでわたしたちは、あなたの経験の創造者はあなたで、あなたは自分の欲求の力でこの物質世界に生まれ出たのだ、と言う。あなたがたは自分にそれ以外の価値があることを証明するためにこの世にいるのではないし、別の次元でもっと偉大な救済を求めるためにいるのでもない。あなたはここに存在しようという具体的な目的を持ってここにいる。あなたは「意図的な創造者」になりたいと思い、自分の理解をうまく調整し、自分が思考のなかで創造した結果を物理的な経験のなかに出現させることでその果実を享受しようとして、この物質世界の次元を、時間と空間がある次元を選んだ。あなたは「宇宙」の拡大を促進し、「存在するすべて」はあなたがこの経験に身をさらして自分を拡大させた経験の果実を享受する。

あなたの行為のすべては、あなたが喜ばせようとしている相手を喜ばせる。これが正しくてこれが間違っているという区別はない。あるのは、あなたの真の意図と目的に沿って

いることと、沿っていないことだけだ。自分のなかにある「指針」を信頼すれば、いつ自分が自然な幸せの状態と調和しているかがわかるだろう。

次第に強力になる「引き寄せの力」

あなたの人生経験のなかの際立った現象には「引き寄せの法則」が働いている。あなたがたはこの「法則」を多少とも理解しているから、いろいろな言葉を創り出した。「類は友を呼ぶ」「調子のいいときは何をやってもうまくいくし、ダメなときは何をやってもうまくいかない」「今日は最初から最後までツイていなかった」。だが、そういう言葉を知っていても、ほとんどの人は「引き寄せの法則」がどれほど強力なのか、本当にはわかっていない。人は「引き寄せの法則」のゆえに集まる。あらゆる状況や出来事はこの法則の結果だ。波動が似た思考同士が強力な「引き寄せの法則」によって磁石のように引き合って集まる。同じような感じ方をする者同士が、この法則によって磁石のように引き合って集まる。思考そのものが互いに引かれ合い、最初は小さくてたいした意味もなく力強くもなかった思考が、あなたが関心をそこに定めることで、非常に力強く成長する。

「引き寄せの法則」があるから、あなたがたは強力な磁石のように自分のそのときの感じ方と似たものを引き寄せる。

病気のことを話す人は病気になる

あなたの経験を創造するのはあなただけだ。すべてはあなた自身が行っている。何もかもあなた自身の仕業だ。自分の経験や周りの人の経験を観察してみれば、わたしたちが説明していることの強力な「法則」に反することは何一つ、かけらほどもないはずだ。そのことをわかってほしい。自分が考えて話すことと自分の身に起こることとの絶対的な関係に気づけば、「引き寄せの法則」がよくわかるし、意識して思考を方向づけるために「ナビゲーションシステム」を活用したいと思う気持ちも強まるだろう。そうなれば、もちろん周りの人たちの人生についての理解も深まる（それどころか、自分よりも他人のことのほうがよく理解できることも多い）。

しょっちゅう病気の話をしている人はますます病気がちになることに、あなたがたは気づいているだろうか？　「貧乏だ、貧乏だ」と言う人はますます貧乏になり、豊かな話をしている人はますます豊かになることに、あなたがたは気づいているだろうか？　思考は磁石のようなもので、関心を集中する思考は磁力が増していき、やがて思考の対象が経験として現れる。それを理解し、何かを考えたときの自分の感情に注意を払っていれば、思考が向かう方向を意識的に選択するのに役立つ。

誰かと会話していると、「引き寄せの法則」が働いていることがよくわかる。例えば、友人が自分の経験の話をする。あなたはよい友達でいたいと思い、友達の言葉に関心を集中し、友達が話す事例に耳を傾ける。友達の話に集中している時間が長くなると、自分にも似たような経験があったなと次々に思い出す。そこで自分も同じような経験の話を持ち出せば、思考の波動はさらに強くなっていく。その話題に大きな関心を注ぎ、同じような経験の話ばかりしていると、それと同じ種類の経験がますます思い浮かぶ。そして、自分が「望んでいない」ことについての思考がどんどん集まってくると、そのうちにその「望まない」方向の思考や言葉や経験に、いつのまにか囲まれているのに気づく(あなたも友達も話し合ったことで、さらに望まない不快な状況に陥る)。

会話が望まない方向に向かうのを敏感に感じ取れれば、何か胸のあたりが嫌な気分だなあと思うだろう。「自分が望まないことを考えたり話したりしているぞ」と「ナビゲーションシステム」が教えていることに気づく。なぜそのような警告が発せられ、警鐘が鳴るかといえば、本当のあなたやあなたの欲求と、その瞬間にあなたが焦点を定めていることがずれたからだ。望まないことを考えたり話したりしていると、そういう状況や出来事や人物を自分に引き寄せる磁石になって、間もなく話題にしている「望まないこと」のエッセンスを経験するはめになるよ、と「ナビゲーションシステム」が注意してくれる。

同じように「望む」ことについて話していると、思考はますますそっちの方向に引き寄せられる。あなたが望むことについて話したがる人があなたの周りに引き寄せられてくる。そして「望む」ことについて話している間、あなたの「内なる存在」は前向きの明るい感情を送って、あなたが自分自身のバランスのとれた意図のエッセンスと調和していること――そして調和した波動を引き寄せていること――を知らせてくれる。

「望む」ことと「許容し可能にする」ことの微妙なバランス

「意図的な創造の方法論」は微妙なバランスについての「法則」だ。これには二つの要素がある。片方には自分が望むことについての思考があり、もう片方にはそれが思考を通じて創造される――経験としての実現が可能になる――ことへの期待や信念がある。

だから「赤い新車が欲しい」と言えば、文字どおり思考を通じて自分の経験のなかで赤い新車の創造が始まる。そしてその思考に集中すればするほど、また赤い新車の経験を純粋にイメージできればできるほど、あなたはいっそうワクワクするだろう。赤い新車のことを考えてワクワクすればするほど、明るい前向きな気持ちになればなるほど、赤い新車は経験のなかでスピーディに実現する。思考を通じて赤い新車を創造し、新車のことを考えて力強い前向きな気持ちになれば、新車はたちまちあなたの経験のなかに引き寄せられる。赤い新車は創造されて今、実在する。それを自分の経験のなかで実現するには、実現を「許容し可能にする」だけでいい。あなたは期待し、信じ、実在させることを通して、実現を「許容し可能にする」。

「赤い新車なんか持てるはずがない」と自分の能力を疑えば、あなたは創造を押しつぶす。「赤い新車が欲しい」と言えば赤い新車の創造が始まるが、そのあとに「でも、高すぎる」と言うと、創造を遠ざける。言い換えれば、欲求を持つことで創造の最初の部分は完成したが、信じず、期待せず、「許容し可能に」しないために創造は妨げられる。実際に物質的な世界での経験として創造するためには、両方の部分が必要だからだ。

創造したい対象について語っても、必ずしもその実現を可能にすることにはならない。赤い新車のことを考えてワクワクすれば、その実現を可能にすることになる。だが、赤い新車が欲しいけれど手に入らないだろうと心配すれば(あるいは、まだ手に入らないと苛立てば)、あなたは新車の「欠落」に焦点を定めているから、経験のなかで実現することはできない。

欲しいものの創造の初めのころには、前向きの期待にワクワクして実現への正しい道筋にいたのに、その話を誰かにしたところ、そんなことは「実現するはずがない」とか、「期待してはいけない」と言われてしまうことがある。そのような暗いネガティブな影響はあなたのためにならない。あなたは「欲求のエッセンス」に焦点を定めてそれを引き寄せていたのに、今度は「欲求の対象の欠落」に焦点を移して、実現を遠ざけることになるからだ。

「欠落」ではなく「望み」に焦点を合わせる

「赤い新車が欲しいし、そのうち手に入れられる」と言うのはいい。だが、「でも、そんなものはどこにあるんだ？　ずっと前から欲しかったのに。エイブラハムの言葉は信じるけれど、でも欲しいものは実現しないじゃないか」と言えば、あなたはもう欲しいものに焦点を定めてはいない。欲しいものの「欠落」に焦点を定めているから、「引き寄せの法則」によって焦点を定めたことが実現する。

欲しいものに焦点を定めていれば、何であれ欲しいものが引き寄せられる。欲しいものが「欠落」していることに焦点を定めていれば、ますます「欠落」が引き寄せられる（す

べてのものは、実は両面を持っている。欲しいという面と、欲しいが欠落している、存在しない、という両面である）。自分の感情、気持ちに注意を払っていれば、自分が欲しいほうに焦点を定めているか、それとも欠落のほうに焦点を定めているかは必ずわかる。欲しいもののことを考えていれば心地よいし、欠落について考えていれば心地よくないのだから。

「自分らしいライフスタイルを貫くお金が欲しい」と言えばお金が引き寄せられてくるが、自分が持っていないものに焦点を定め、欠落に着目していれば、豊かさは遠ざけられる。

意図的な創造を促すエクササイズ

「意図的な創造」を促すための練習がある。こんなふうにすればいい。

紙を3枚用意して、それぞれのいちばん上に自分が欲しいものを書く。それから最初の1枚の下に、「欲しい理由」と記入する。そして思いつくことをすべて書き込む。自然に思い浮かぶことならなんでもいい。無理はしないように。何も浮かばなくなったら、次の1枚に進む。

次に紙を裏返して、「欲しいものが手に入ると信じる理由」と記入する。

それぞれの紙の1ページ目で、あなたの欲求が強化される（「意図的な創造」の方程式の第一の部分）。2ページ目（裏側）で、欲しいものが手に入るという信念が強化される（「意図的な創造」の方程式の第二の部分）。こうしてあなたは方程式の両方の部分に焦点を定め、自分のなかで波動を活性化させる。これで「創造のプロセス」の両方を達成し、欲求の実現を受け取る状態ができた。あとは、それを欲していれば——そして欲求実現まで期待し続ければ——希望はかなう。

いっぺんに創造できる対象の数に制限はない。何かを欲しいと思い、同時にそれが実現すると期待することは、そう難しいことではないから。だが、思考の焦点をどう定めるかを学び始めた最初のころは、一時に二つか三つに集中したほうがいいかもしれない。欲求のリストが長くなれば、まだ実現していないものを眺めているうちに疑問が忍び込む可能性も大きくなる。だが、このゲームに慣れてくると、思考の焦点を定めるのが上手になり、やがては欲しいもののリストを制限する理由はなくなる。

何かを実際に経験するためには、まずそのことを考えなくてはならない。思考は招待状で、招待状がなければ何もやってはこない。何を欲するかを「意図的に」

決め、次に欲しいもののほうへ思考を「意図的に」向け、欲しくないものからは「意図的に」思考を外すことを、わたしたちは勧める。さらに毎日時間をとって人生で経験したいと思うことのビジョンを「意図的に」描くといい。今度はこれを「意図的な創造のワークショップ」とよぶことにしよう。

日常の暮らしのなかで、自分が好きなものに注目するという意識を持とう。「今日は何をしていても、また誰と一緒にいても、自分が好きなものを見つけるぞ」と思う。こうして意識してデータを集めれば、「創造のワークショップ」にとりかかるときに、効果的な創造のためのリソースが用意されていることになる。

欲して期待すれば、実現する

「あなたがたの思考は磁石のようなものだ」と言った。もう一つ、はっきりさせたいことがある。すべての思考には創造力があるが、強い感情を伴わない思考の対象は、経験のなかでスピーディに実現しない。強い感情がわき起こる——その感情が明るく前向きでも、ネガティブで暗くても——思考のエッセンスは速やかに物質世界の経験として実現する。感情は「内なる存在」からのコミュニケーションで、あなたがたが「宇宙のパワー」にア

クセスしていることを教えている。

友達と一緒にホラー映画を見に行って、鮮烈な音とともに色鮮やかにスクリーンに映し出される恐ろしい場面の数々を見ているとする。そのときあなたは「ネガティブなワークショップ」をしている。自分が見たくないことをまざまざと見ているとき、「内なる存在」はあなたの感情を通じて、「これほど鮮明に見ていることには、宇宙のパワーが宿りますよ」と教える。

幸い映画館を出るときには、「あれはただの映画だ」と思うだろう。だから、その実現を期待しない。自分の身に起こると信じないから、創造の方程式の第二の部分が成り立たない。強い感情を伴う思考によって創造はしたが、本当に期待したわけではないから、経験のなかで実現することはない。だが帰り道で友達が「あれは映画だけれど、でも、本当にこんな目にあったことがある」と言い出したとすれば、あなたはそれについて考え始める。そしてその思考を通じて、自分にも起こるかもしれないという信念、期待を持つかもしれない。**そうすると一方で思考を向け、もう一方で期待して信じることになるから、二つがバランスよく成立して、経験として現れる。**

欲して期待すれば、すぐに実現する。だが欲することと期待することがうまくバランスすることは、そう多くはない。強く望んでも実現するとは信じないかもしれない。例えば子どもが自動車の下敷きになったことに母親が気づいたとする。彼女は自分が重い自動車を持ち上げられるとは思わないだろうが、でも持ち上げたいという欲求が非常に激しいときは、実際に持ち上げてしまう。一方、信念は強くとも、欲求はさほど強くないことも多い。例えばガンのような病気については、信念が非常に強くても、欲求はそう強くないだろう。

あなたがたの多くは「ネガティブなワークショップ」を実行しているかもしれない。デスクに向かって請求書の山を眺め、全部支払うお金がないのではないかと心配し、緊張や恐怖すら感じるとすれば、それはネガティブなワークショップだ。お金が足りないだろうと考えれば、欲しないことを創造するのに完璧な状態になる。そのときに感じる気持ちは、あなたが考えていることは欲求と調和していないよ、という「内なる存在」のメッセージだ。

「意図的な創造のプロセス」の要約

それでは人生経験を自分でコントロールするための決定的なプランを作れるように、ここで説明したことを要約してみよう。第一に、あなたがたはこの物質世界の身体以上の存在だと認識すること。あなたがたのなかにはもっと広くて賢く、しかもずっと古い部分が存在する。その部分は過去生のすべてを記憶しているし、もっと大事なことに今の自分とは何かを知っていて、そのすべてを見通す視点から、現在していること、話していること、考えていることが適切かどうか、あるいはこれからしようとしていること、これから話そうとしていることが適切かどうかについて、明晰で絶対的な情報を送ってくれる。

そこで、この瞬間の自分の意図をはっきりと打ち出せば、あなたのなかの「ナビゲーションシステム」はいっそう効果的に機能する。そのシステムには、今までのすべての経験(それにすべての欲求、意図、信念)から集められた全データが入っていて、現在していること、しようとしていることをそのデータと比較し、絶対的な指針を示してくれる。

だから日々を生きていくなかで、自分がどう感じているかを鋭敏に察知しなさい。そしてネガティブな暗い気持ちになったら、なんであれ暗い気持ちの原因になったことをすぐに中止しなさい。ネガティブな暗い感情は、その瞬間にあなたがネガティブな創造をしていることを示している。**ネガティブな暗い感情になるのは、間違った創造をしているときだけだ。だからネガティブな暗い気持ちになったと気づいたら——理由がなんであれ、またどうしてそんなことになったか、どんな状況にあるかにかかわらず——していることを直ちに中止し、別のもっと心地よいことに思考を向けなさい。**

毎日15分から20分、邪魔が入らず集中できる静かなところで、「意図的な創造のプロセス」を実践し、自分の人生について楽しく考え、こうなりたいと思う自分を想像し、うれしいことに囲まれている自分を思い描きなさい。

現状への関心は、現状を持続させるだけ

「引き寄せの法則」はあなたに、あなたの作用点に働く。そして作用点はあなたの思考が作る。感情はあなたの思考によって引き起こされる。したがって、自分についての感じ方が、力強い磁力が働く作用点になる。自分は貧しいと感じていれば、豊かさを引き寄せることはできない。太っていると感じていれば、痩身を引き寄せることはできない。孤独を感じていれば、仲間を引き寄せることはできない。それは「法則」に反するからだ。周囲の大勢の人たちが「現実」を指摘したがるかもしれない。「事実を見つめなさい。現状を見なさい」と言うかもしれない。だが、わたしたちは言う。現状しか見ることができなければ、「引き寄せの法則」により、現状と同じことが創造されるだけなのだ。今とは違うこと、今よりもっと多くのことを引き寄せるためには、「現状」を超えて考えることができなくてはならない。

「現状」に感情的な関心を向けていれば現在に根を張った木と同じだが、違った経験をしてみたいという感情を込めた幸せなビジョンは、変化を引き寄せる端緒になる。今の人生のなかにはそのまま続いてほしいと思う部分もあるだろう。それなら、そのことに関心を向けていれば、その経験が続く。だが、望まないことがあるなら、関心をそこから別のところに向けなくてはいけない。

「いいな」と思う側面から細部へと想像を進める

強い感情がわき起こるような思考は、いちばん迅速かつ効果的に人生を変化させる。何の感情も起こらないような思考なら、現状を維持するほうへ働くだろう。既に創造し高く評価していることは、高く評価し続けていれば人生経験として継続する。だが、まだ手に入れていないがすぐにも手に入れたいと強く望むことには、明快で意識的、意図的な、強い感情を伴う思考を向けなければならない。

「創造のワークショップ」を効果的に実践するには、自分にとっていちばん重要なことについて、あれがいい、あそこが素晴らしいと評価できる側面に思考を向ければいい。その対象について考えるたびに、細部に対する関心が高まっていくだろう。そして時間をかけて細部について考えれば考えるほど、はっきりした強い感情がわき起こる。このように「創造のワークショップ」を実行すれば、「意図的な創造」に必要なことはすべて満たされる。自分が望むことを、いいな、素晴らしいなと高く評価しつつ考え、やがて望むことが経験のなかで実現する。「創造のワークショップ」をたびたび実行していると、ワークショップで考えたことと人生経験に現れる事柄には明らかな相関関係があると気づくだろう。

「宇宙の法則」は信じなくても働いている?

ジェリー　教えてください、エイブラハム。話してくださった「宇宙の法則」は、わたしたちが信じていなくても作用しているのですか?

エイブラハム　もちろん作用している。あなたがたは自分で気づいていないときでも、波動を出している。だから「惰性」による創造が行われる。あなたがたの「創造のメカニズム」はいつでも働いていて、自分でスイッチを切ることはできない。「法則」は常に作用している。だからこそ「法則」を理解することがとても大切なのだ。「法則」を理解しないでいるのは、ルールがわからないゲームに参加しているようなものだ。ゲームをしていても、どうしてこういう状況になり、今のような目にあうのかわからない。そんなゲームではフラストレーションがたまって、たいていはゲームから下りたくなる。

望まないことが起こらないようにするには？

ジェリー　エイブラハム、望まないことが起こらないようにするにはどうすればいいのか、話してくれませんか？

エイブラハム　望まないことは考えないこと。望まないことに思考を向けないこと。関心は対象を引き寄せるのだ。それについて考えれば考えるほど、思考は強力になり、強い感情を伴うようになる。だが、「このことについては、もう考えないことにしよう」と言っても、そのときはまだその対象について考えている。大事なのは別のこと――自分が望むもののこと――を考えることだ。練習をすると、自分がどう感じるかで、望むことを考えているか望まないことを考えているかがわかるようになる。

この文明社会には喜びが欠けているのはなぜ？

ジェリー　わたしたちはとても進んだ文明社会（とよんでいいのでしょう）に暮らしていますし、経済的、物質的な面で比較的恵まれているのですが、それでも街で会う人や仕事でつきあう人たちを見ていると、あまり楽しそうには見えません。あれは、あなたがたが話してくれた要素のせいでしょうか。あまり欲求を持たず、信念が強いせいですか？

エイブラハム　ほとんどの人は、自分が見ることに反応して波動を出している。だから心地よいものを見ると喜びを感じるが、そうでないものを見ると喜びは感じない。それに、ほとんどの人は自分の感情をコントロールできるとは思ってもみない。感情という反応を起こす状況を、自分でコントロールできないからだ。あなたが気づいたように、ほとんどの人に喜びが欠けているのは、自分の経験をコントロールできないと信じているからだ。それから言っておくが、その人たちの喜びが欠けていることに注目し続けていると、あなたの喜びも消えてしまうよ。

ジェリー　**「情熱的に欲していれば信念はそれほど強くなくてもいい」ともおっしゃいましたね。それでは、話してくださった「ワークショップ」で情熱的な欲求を育てるには、どうすればいいですか?**

エイブラハム　なんにでも初めの一歩がある。わたしたちが話し掛けた人たちの多くは、こう言う。「エイブラハム、おっしゃることはわかりましたが、でも、自分が何を欲しがっているのかわからないんです」。だからわたしたちは、まず「わたしは自分が何を欲しているか知りたい」と言明することから始めなさい、と言う。そうはっきりと口にすることで、あなたはデータを引き寄せる磁石になり、そのデータを基に決定することができる。**その言葉がきっかけになって、「引き寄せの法則」によって事例や選択肢が引き寄せられてくる。そして選択肢について考えれば考えるほど、欲しいという情熱も高まる。**

何かに関心を向けるとその対象は力強く成長し、それとともに感情も増大する。欲しいものについて考え、そこに細かいことを付け加えていくと、その思考は力強く成長する。しかし欲しいもののことを考えても、次にはまだ実現していないと考え……次には実現したらどんなに楽しいだろうと思い、でも大変なお金がかかるから無理だろうと思い返す……そうやって行ったり来たりして考えていると情熱は薄まり、思考の力は低下する。

信念に反する創造は可能か？

ジェリー　今までに他人からいろいろと言われて、そんなことは無理だと信じさせられていたとしても、それまでの信念に反する何かを望んで、創造することはできますか？

エイブラハム　その欲求が十分に強ければ可能だ。言い換えれば、以前に話した母親は自動車のような重いものを持ち上げられるわけがないと社会に刷り込まれていたし、自分の経験からもそう信じていたが、子どもを助けたいという欲求が激しかったので自動車を持ち上げることができた。だから、欲求が非常に激しければ、信念を乗り越えることができるのだ。

　信念にはとても力があるし、変化するのに時間がかかるが、それでも変えることはできる。心地よい思考へ、もっと心地よい思考へと心がけていれば、そういう思考が見つかるし、活性化できる。そうなればその思考に「引き寄せの法則」が作用し、やがては思考の変化を反映した新しい人生が開ける。今ある「事実に基づいた」ことだけが信じられるという思考にしがみついていたのでは何も変わるはずがないが、思考の焦点を変えると新しい思考に「引き寄せの法則」が作用することが理解できれば、それまでとは違った証拠が現れるし、そうすれば「意図的な創造」の力を理解することもできる。

過去生の信念は今の人生に影響するか？

ジェリー　過去生の思考（や信念）が今の物質世界における人生の状況を創造し続けている、あるいは創造する力を持っている、ということがありますか？

エイブラハム　あなたがたは成長し拡大し続ける存在で、あなたがたの「内なる存在」はこれまでの生のすべての集積だ。「内なる存在」はあなたという存在の価値、素晴らしさを信じているだけでなく、知っている。だから、その「内なる存在」が賛成する思考を選んだときには、その知識の明晰さを実感できる。

しかし、物質世界における過去生の詳細は、今の人生経験には影響しない。その点については大きな混乱があるようだが、それは自分が自分の経験の創造者だということを受け入れたくない人たちがいるからだ。その人たちは「今回の人生で自分が太っているのは、過去生で餓死したことがあるからだ」などと言う。だが、わたしたちは言う。過去生の経験はいっさい、現在のあなたの行為に影響を与えない。なんらかの方法であなたが気づき、そこに今関心を向ければ別だが。

他人を心配すると、不幸になる?

ジェリー　わたしたちは大事に思っている人の身が心配で、ついつい悪いことを予想してしまうことがあります。人の人生に問題が起こるのではないかと考えているだけで、実際にその人に不運なことが起こる場合がありますか?

エイブラハム　あなたがたは他人の経験を創造することはできない。他人に代わって波動を出すことは——そこがその人の作用点になる——できないからだ。しかし、あなたがたが長い期間、何かに思考の焦点を定めていて、その思考が強力になり、さらに強い感情を伴う場合、それが相手の思考に影響を及ぼすことはあり得る。

ほとんどの人はたいてい自分が見ることに反応して波動を出している、ということを思い出してごらん。だから心配するあなたの不安そうな表情を見れば、あるいは心配して書き送る言葉を目にすれば、相手の思考も望まない方向へ向く可能性はある。

誰かの役に立ちたいと思ったら、その人が望むとおりの姿で見てやることだ。そういう影響なら与えたいのじゃないか。

過去に他人に設定されたプログラムは消せるか？

ジェリー　誰かに「プログラム」されて何かを信じるように仕向けられているとしたら、そしてその信念がもう自分の人生にとって望ましいものではないと気づいたら、その信念を消すことはできますか？

エイブラハム　ネガティブな暗い影響の原因は、大きく言って二つある。一つは他人の影響。もう一つは自分自身の過去の習慣だ。時間とともに思考のパターンができるので、新しい欲求に調和した新しい考え方をするよりも、つい古いパターンどおりの思考に落ち込みやすい。これは関心を新しい方向に向けるために意識してちょっとした努力をするかどうか、つまり意志の問題だ。

あなたの言う「プログラム」とは、自分が何かに焦点を定め、その焦点に「引き寄せの法則」が作用して力強く成長した結果にすぎない。また「プログラム」の一部は単に現在の社会への健やかな同化にすぎない。だが、実際にあなたがたの成長の妨げになるものもある。練習を積めば二つの違いがわかるようになるし、自分の思考を自分が選んだ方向へと向けられるようになる。実はそれが「意図的な創造」ということだ。

「作用点は現在」とは？

ジェリー　エイブラハム、「セス」の本のなかにこんな言葉がありました。「あなたの力の作用点は現在である」。これはどういう意味だとお考えですか？

エイブラハム　今起こっていることを考えていても、過去に起こったことを考えていても、あるいは将来起こればいいなと思うことを考えていても、考えているのは今、現在だ。現在、思考の波動を送り出し、「引き寄せの法則」は常に今の思考に作用する。したがってあなたの創造の力は「今」にある。

また、感情は（過去、現在、未来のどれについての思考であっても）現在の思考に反応して起こることも知っておいたほうがいい。感情が強くなればなるほど思考も力強くなり、思考のエッセンスと一致したことが人生経験に引き寄せられるスピードも速くなる。

何年も前の誰かとの、あるいは10年前に亡くなった人との言い争いを思い出しても、その言い争いを思い出しているのは「今」で、「今」波動を活性化させているのであり、「引き寄せの作用点」は「今」影響される。

最初のネガティブなことはどんなふうに生じたか？

ジェリー　よく不思議に思うんですが、最初の病気とか、最初のネガティブな事柄って、どんなふうに生じたのでしょう。ほとんどすべてが最初は思考を通じて生じるというのは本当ですか？　言い換えれば、最初の電球のように、まず思考があって次に電球が生まれる。だから、わたしたちの世界で病気が増えていくとか、いいこと、ワクワクすることが多くなるのも、それまで考えられたことをほんの一歩前進させ、思考を一つ先に進めただけ、ということですか？

エイブラハム　すべては——あなたがたがいいと判断しようと悪いと判断しようと——論理

的には現状の次の段階でしかない。

思考が最初だ、というのはあなたが考えたとおりだ。まず思考があり、次に思考の形があり、そして現象となる。現状という今の経験を土台にして次の思考、さらに次の思考が生まれてくる。

前向きに期待するか、暗いネガティブな予想をするかを自分で選べば、どちらにしても「引き寄せの法則」に従ってその思考に力が加わっていき、やがて現象となる。そこに気づけば、思考が向かう先をもっと慎重に選びたいと思うだろう。最初のかすかな関心だけではどんな現象も現れない。関心の対象が十分な力をつけて現象として現れるには、多くの時間と関心が必要だ。そのようにして望まれるものも望まれないものも、あらゆる種類のことが増大していく。言い換えるなら、人類が病気に関心を向ければ向けるほど、病気は増えるし、病人も多くなる。

想像とビジュアル化はどう違う?

ジェリー　エイブラハム、想像(イマジネーション)という言葉をどう説明なさいますか?
この言葉はあなたがたには、どういう意味があるのでしょう?

エイブラハム　想像（イマジネーション）とは、思考を混ぜ合わせたり擦り合わせたりしていろいろな組み合わせを作ることだ。ある状況を観察することに似ている。だが想像のなかでは、今ある現実を観察するというより、イメージを作り出すのだ。ビジュアル化という言葉を使う人もいるが、わたしたちはこの二つを多少区別したい。ビジュアル化はかつて実際に観察した何かの記憶であることが多い。わたしたちが「想像」という場合、心のなかで望ましい要素を組み合わせて望ましいシナリオを作ることを指す。言い換えると、前向きな明るい感情をわき立たせることに意図的に焦点を定めることだ。わたしたちが想像という言葉を使うときには、実はあなたがた自身の現実を「意図的に創造」することを指している。

ジェリー　でも、例えば望ましいパートナーや、生まれてほしい子ども、就いたことがない天職のように、まだ見たことがないものをどうやってビジュアル化したり想像したりできるんでしょうか？

エイブラハム　周りの世界を観察して、魅力的だと思う人生経験を収集し、考えてみることだ。微笑みかけてくれた誰かの美しい微笑や、誰かが住まう美しい家に目を向けること。

自分の世界で楽しいと思うことを頭のなかや用紙にメモし、心のなかでそれらの要素を混ぜ合わせて自分が望む人生のシナリオ、バージョンを創造する。完璧なモデルを探そうとしてはいけない。人はそれぞれユニークなのだし、自分自身のユニークな現実の創造者なのだから。

やがて、この想像という方法を使うといろいろ楽しいことが経験できるだけでなく、想像そのものが楽しくておもしろいことを発見する、というか、思い出すだろう。まず「自分が何を欲しているか知りたい」と宣言すれば、「法則」によっていろいろな事例が引き寄せられてくる。引き寄せられたデータを収集しつつ、さらに欲しいものを探すぞ、という意識をもって毎日を過ごす。周囲を見回せば、パートナーや仕事仲間に望ましい資質や性格が見つかるだろう。**だが、どんなことであれ、あなたにとって完璧なモデルは存在しない。あなたの完璧なモデルの創造者はあなた自身だから。**

ときどき、こんな言葉を聞く。「わたしは金持ちになりたかった。でも、わたしが出会った金持ちは病気がちで、結婚に失敗していた。だから金持ちというと病気や結婚の失敗と結び付いてしまうので、もう金持ちになりたいとは思わない」。そこで、わたしたちは言う。「望むなら金持ちというデータを収集しなさい。そして病気だとか結婚の失敗という部分は放っておきなさい」と。

ジェリー　すると望ましい性格をいろいろと寄せ集めて、自分が欲しいと思うパートナーや子どもや仕事をビジュアル化すればいい、ということですか？

エイブラハム　そうだ。それをするのが「ワークショップ」だよ。ワークショップをするときには、なんにも邪魔されずにただ望ましい姿を心に描くことができる。

ジェリー　それじゃ、既に存在することでなくていいわけですね。自分が経験したいと感じること、それだけでいいんですね？

エイブラハム　「ワークショップ」を実行すると、ほとんどの場合、すぐに望ましい姿が描けるわけではないことがわかるだろう。はっきりした姿が描ければ興奮してワクワクするからわかるよ。何かのプロジェクトに携わり、一生懸命にそれについて考えていて、ふいに「いいことを思いついたぞ！」と叫んだ経験はないか？　その「いいことを思いついたぞ！」という気持ち、それが創造のスタート地点だ。言い換えれば、心のなかで考えに考えているうちに具体的な姿が見えてきて、思考の完璧な組み合わせにぶつかる。すると「内なる存在」が「そうだ、それだ！　やったぞ！」という感情を送ってくれる。だから「ワークショップ」で大事なのは、「いいことを思いついた！」と感じられるまで、ありとあらゆることを考えてみることだ。

ジェリー　ビジュアル化した強い思考がなかなか現実化しないとき、共通する大きな理由があるとすれば、どんなことですか？

エイブラハム　純粋に思考をビジュアル化していれば、必ず、それも迅速に望みはかなう。「純粋なビジュアル化」というところが鍵で、「純粋な」というのは望む方向にだけ思考を向けるという意味だ。「これが欲しい、でも……」と「でも」を付け加えたら、せっかく生まれかけたものが押しつぶされて、台無しになる。あなたがたはたいてい、これが欲しいという欲求について考えると同じくらい、いやそれ以上に、まだ欲求が実現していないということも考えてしまう。**もし望むことがなかなか実現しないとしたら、理由は一つしかない。欲しいものを考える以上に、それが実現していないということを考えているからだ。**

何が欲しいかがはっきりとわかり、次にそれが実現するまで、意図的にそのことだけを考えていれば、欲しいと思うことすべてのエッセンスはたちまちあなたのものになるだろう。目の前の現実に関心を向けるのではなく、欲しいものだけを純粋にビジュアル化していれば、現実ではなくて欲しいものがどんどん引き寄せられてくる。大切なのはあなたの磁力の作用点を変更することだ。

目も言葉も思考も、目の前の現実に向けるのではなく、ひたすら欲しいもののほうへ向けなさい。欲しいもののことを考えて口にすればするほど、望みは迅速に実現するだろう。

忍耐は美徳ではない？

ジェリー　**「とにかく我慢しなさい」という言葉については、どう思いますか？**

エイブラハム　「引き寄せの法則」が理解できれば、そして思考を意図的に望む方向に向けられれば、望むことは確実かつ順調に経験のなかで実現する。だから忍耐は必要ないだろう。

忍耐を学ぶという考え方は、あまり感心しない。それは物事が実現するには本来時間がかかるという意味だが、真実ではない。時間がかかるのは、ただ思考が矛盾しているせいだ。前進しては後退し、また前進しては後退したのでは、行きたいところに行き着けるはずがない。だが、後退するのはやめて前進だけすれば、すぐに目的地に着ける。それには忍耐はいらない。

量子的飛躍がしたいが？

ジェリー　今していることより少し余分に実行し、自分が少し向上し、少し豊かになるというふうに、現状から少し前に進むのは簡単ですが、「量子的飛躍」というのはどうでしょうか？　言い換えれば、それまで見たこともないようなことを実現するってことです。そんなことを創造するには、どうすればいいですか？

エイブラハム　なるほど。要点がわかったようだね。少しだけ前進するほうが簡単なのは、今持っている信念を認めてちょっとだけ先へ進めるほうが簡単だからだ。それなら信念をまったく入れ替えるのではなく、少し拡大するだけだ。「量子的飛躍」とは、ほとんどの場合、現在の信念を完全に捨てて、まったく新しい信念を採用することを意味する。

量子的飛躍は、創造の方程式の信念の部分を強化するだけでは達成されない。量子的飛躍は欲求の部分を強化することで達成される。

前に話した、子どもを押しつぶしそうになった自動車を持ち上げた母親は、「量子的飛躍」

をしたと思うだろう？　それがジムでのことだったら、それほど重いものが持ち上がると信じさせるには、非常に長い時間をかけて少しずつ信念を変えていかなくてはならないだろう。だが、欲求が非常に強力だったから、その瞬間に「量子的飛躍」が起こった。

わたしたちは「量子的飛躍」をあまり勧めない。欲求のほうを過激に推し進めて驚異的な結果を生み出すには、きわめて極端でおおげさなコントラストが必要だからだ。だが、ほとんど例外なく結果は一時的なもので終わる。信念とのバランスで、結局は元の位置に戻ってしまうためだ。それよりも徐々に望む方向に信念の橋を架けていくやり方のほうが、もっと満足できる結果になる。

ジェリー　**もう一つだけ、教えてください。欲求を盛りたてるにはどうすればいいですか？　どうすればもっともっと望むことができますか？**

エイブラハム　自分が欲しいと信じることに思考を向けること。そうすれば「引き寄せの法則」に従って創造に用いるべき多くの情報やデータ、状況がさらに集まってくる。

わかるだろうが、自分が欲しいと思うものを目にしたら力強い前向きな気持ちになるのが自然だ。だから、欲しいものに思考を向け続けることが大切だ。できれば欲しいものがある場所へ行き、素晴らしい気持ちになれる場所に意識して自分を置いてみる。そうやって心地よい気分になっていれば、いい（とあなたが思う）ものはすべて、あなたの経験のなかに引き寄せられてくるだろう。

何かに思考の焦点を定めれば、あとは「引き寄せの法則」が「盛りたてて」くれる。だから、欲求を盛りたてて前向きの気持ちを強めるのに大きな努力がいるように見えるとしたら、それは欲しいもののことを考えたと思ったら次には逆のことを考えるというように、着実な前進ができていないからだ。

大きな願望ほど実現は難しいか？

ジェリー　それでは、ほとんどの人が小さなことなら創造したり実現したりできると感じても、大きなことは創造できないと思うのは、なぜなのでしょうか？

エイブラハム　それは「法則」を理解せず、「あり得る」ことを「これまであったこと」と結び付けるからだ。「法則」が理解できれば、城を作るのはボタンを作るより難しくはないことがわかる。どっちも同じだ。１０００万ドル作るのは、10万ドル作るより難しくはない。どちらも同じ「法則」を違う思考に適用しているだけだから。

「宇宙の法則」は証明可能か?

ジェリー　誰かに有効性を示すために、その「法則」というか原則を検証したいと思って、「この法則で何ができるかを見せてあげよう」と言うとしたら、それは「引き寄せの法則」の効力に影響を及ぼしますか?

エイブラハム　そこで問題なのは、何かを証明しようとすると、望まないことと対抗しなければならなくなることだ。だから、自分のなかでその対抗相手と同じ波動を活性化させてしまい、望むことの実現が難しくなる。それに相手が強い疑念を抱いていれば、その影響であなたも疑念を抱くようになる可能性があるので、勧められない。

言葉で誰かに何かを証明する必要はない。あなたの存在そのものが――あなたの生き方が――人を高揚させるわかりやすい例になればいい。

なぜ自分の価値を正当化する必要があるか？

ジェリー　エイブラハム、わたしたち、つまりこの物質世界に暮らす者の多くが、自分にいいことが起こるのを正当化しなくてはならないと思っているようなのですが、どうしてだとお感じですか？

エイブラハム　一つには、リソースには限りがあると誤解しているからだ。それで、なぜ他人ではなくて自分がリソースを獲得できたのか説明しなくてはならないと思う。もう一つの要素は、「無価値」という信念にある。あなたがた物質世界の次元には、「あなたには価値がない、だから自分の価値を証明するためにこの世に生まれた」という非常に強力な考え方がある。

だが、あなたがたは自分の価値を証明するためにこの世に生まれたのではない。あなたがたには価値がある！　あなたがたは楽しい成長、拡大を経験するために生まれてきた。あなたがたの欲求の力によって、そして「許容し可能に」する力によって――ここで話をしている「法則」を高く評価する、まさにそのことによって――あなたがたはこの時空という現実に出現した。だから、物質世界に存在していることがあなたがたの価値の証明であり、自分の思いどおりの人間になり、思いどおりに行動し、欲しいものを手に入れるにふさわしいことの証明なのだよ。

自分は「無価値」だと考えるととても嫌な気持ちになるのは、その思考が「内なる存在」の考え方とまったくずれているからだと気づけば、思考の方向を改善しようと思うだろう。だがそこが理解できなければ、他人を喜ばせようとじたばたしてしまう。しかも、あなたに対する他人の要求には一貫性がないから、結局、あなたはわけがわからなくなって失敗する。

正当化したくなるのはネガティブなモードに入っているためで、自分の欲しいものに思考の焦点を定めていないからだ。欲しいものに思考の焦点を定める代わりに、自分が欲求を持つのは正しいのだと他人を説得しようとする。だが、そんな必要はない。欲求を持って当然なのだから。

行動や仕事はエイブラハムの方程式にどうあてはまるか？

ジェリー　わたしが出会った人生で素晴らしい成果を上げている人たち――物質的にも人間関係や健康でもとても恵まれている人たち――の多くが、そういう状況を実現するためにあまり物質的なエネルギーを注いでいないように見えます。その人たちはそんなに努力していないのに、一方もっと苦労して努力してもその人たちほど恵まれない人たちがたくさんいます。そこでお聞きしたいのですが、物質的な世界の仕事とか行動は、望むことを創造するあなたの方程式のどこにあてはまるのでしょう？

エイブラハム　あなたがたがこの物質世界の環境にやってきたのは、「行動」を通じて創造するためではない。そうではなくて、もともと「行動」はあなたがたが思考を通じて創造したものを楽しむ方法の一つだ。時間をかけて意図的に思考をある方向に振り向け、欲しいものについての思考と信念と期待とを上手に整えて組み合わせる力を見つければ、あとは「引き寄せの法則」が成果をもたらしてくれる。だが、時間をかけて思考を整えなければ、物質世界でどんな行動をとってもその乱れを補うことはできない。

整えられた思考から生ずる行動は楽しい行動だ。矛盾する思考から生ずる行動は満たされない辛い仕事で、いい成果を生み出さない。行動に飛び込みたいと心から感じるのは、波動が純粋で、思考が自分自身の欲求と矛盾していないしるしだ。何をしたらいいかわからなくて苦労したり、行動が意図した成果をもたらさないときには、必ず思考が欲求と反対方向に向かっている。

今、物質世界に生きているあなたがたが行動を重視したがるのは、思考の力をまだ理解していないためだ。思考の意図的な方向づけが上手になれば、それほど行動しようと思わなくなるだろう。

暴力的な場面に遭遇しない方法

人はよく言う。「エイブラハム、わたしは今日、行動をしなくてはなりません。ただ座って考えているわけにはいきませんよ」。確かに生きているからには行動が必要だろう。だが、わたしたちだったら、今日はまず自分にとって大事なことにできるだけ意識して思考を振り向けることから始めるだろう。そして望まないことについて考えている（そういう思考はいつもネガティブな暗い感情を伴う）と気づいたら、そこで立ち止まって、もっと心地よい考え方を探す努力をする。そうするうちに、物事はあらゆる面でいいほうへと向かい始めるだろう。

通りを歩いていて、（あなたの推測では）図体の大きな悪いやつが弱い者を殴っている場面にぶつかったとする。さあ、なんらかの行動に出なくてはならない！　この現象を前にした場合の選択肢としては、弱い者を見殺しにしてその場から立ち去るか、自分が怪我をするリスクを冒して介入するしかないが、どちらの選択肢も満足できるものではない。

そのときはどちらかを選ぶしかないが、しかし思考をその段階のままにしておいてはいけない。もっと平和に仲良く暮らす人たちの人生経験から前向きのイメージを集めてきて、それを「ワークショップ」に持ち込み、その考え方が自分のいちばん活動的な波動になるように仕向ける。やがて「引き寄せの法則」が働いて、どちらの選択肢も満足できないというような状況にはぶつからなくなるだろう。

自分は弱きを助け強きをくじく「救い手」だと思っている人は、救う必要のある人にたびたび出会うだろう。そういう種類の経験をしたいというのがあなたの欲求なら、そういう経験について考え続ければいい。「引き寄せの法則」によって、引き続きそのような経験が引き寄せられてくる。だが、違うことを望むなら、違うことについて考えなさい。そうすれば「引き寄せの法則」によって違うことが引き寄せられてくる。**あなたの思考の対象が未来の経験を準備するのだ。**

人々の多様な欲求がどうして満たされるか？

ジェリー　よく人にも言うのですが、一生辛い仕事で苦労し続けた人は報いが少なく、ろくに働かなかった人のほうが豊かで恵まれているように見えます。それでも誰かがジャガイモを掘り、牝牛を飼い、油井を掘削し、わたしたちが「辛い仕事」というものをしなくてはならない。そこで、エイブラハム、説明してくれませんか？　必要な仕事がすべてきちんと行われて、それでもなおわたしたちが望むことができ、望む人間になり、望むものを手に入れられるということが、どうして可能なのでしょうか？

エイブラハム　わたしたちの見るところ、あなたがたは完璧にバランスのとれた宇宙で暮らしている。あなたがたはすべてが豊富に整えられたキッチンにいるシェフのようなもので、そこにはかつて思い浮かべられ、検討され、考えられ、あるいは存在するといいなと思われたあらゆる食材が限りなく豊富に用意されていて、どんなレシピでも好きなものを作ることができる。あなたがどうしてもしたくないことを、ほかの人がしたがるとは、あるいはしてもかまわないよと言うとは、想像しにくいだろう。

あなたがたの社会がある仕事は決してしたくないと決めれば、その欲求の力でほかのやり方を考え出すか、その仕事はなくても済むようにするだろうというのが、わたしたちの絶対的な知識だ。社会では、どこかの時点であることに対する欲求がなくなり、そのためにそのことが消えて、新しいもっと改善された意図にとって代わられることは珍しくはないのだ。

物質世界の人生と見えない世界の人生はどう違うか?

ジェリー　この物質世界でのわたしたちの人生経験と、見えない世界の次元のあなたがたの経験で、いちばん大きく違うのはどこですか?　この地上の人生にあって、あなたがたにはないものはなんですか?

エイブラハム　あなたがたはわたしたちの存在の物質的延長だから、わたしたちもあなたがたとほとんど同じ経験をする。だが、わたしたちは自分が不快になるようなことに焦点を定めることは決してない。望むことにぴたりと焦点を定めるから、あなたがたが経験するようなネガティブな感情は経験しない。

わたしたちにも感情はあるし、それどころか、例えばあなたがたが「よかった」とか「ありがたい」という気持ちや愛情を感じるのは、わたしたちと同じ見方でその状況を見ているということだ。

あなたがたの知っている物質世界とわたしたちの見えない世界は離れているわけではな

い。ただし、見えない世界にいるわたしたちの思考のほうがより純粋だ。わたしたちは望まないことに抵抗したりしない。望んでいることとの欠落についても考えない。わたしたちは進化していく欲求にひたすら関心を注ぎ続ける。

物質世界である地球は、あなたがたの知識を細かく調整するのに適した環境だ。ここでは、あなたがたの思考はすぐには対応する現象として出現しない。時間的な緩衝帯があるからだ。欲求の対象に思考を向けても、その思考が（感情を伴うほどに）明確にならなければ、現象を引き寄せるプロセスは始まらない。また始まったとしても、その経験を「許容し可能に」し、「期待」しなければ、現実にはならない。この時間的緩衝帯があるから、その思考がどれほど自分にとって望ましいと感じられるかをはっきり確認することができる。

思考が直ちに現実になる次元にいたら、あなたがたは望むことを創造するよりも間違いを処理するのに多くの時間を割かなければならないだろう（今でも、大勢の人がそうなっているが）。

望まない思考が現実化するのを防ぐには？

ジェリー　その時間的緩衝帯で、望まない思考が物理的現実として現れる前に刈り取ってくれるのは、なんなのでしょうか？

エイブラハム　ほとんどの場合、「刈り取る」のではない。ほとんどの人には望むことも多少起こるし、望まないことも多少は起こる。だいたい人生経験のほとんどすべてを「惰性」によって創造しているのだが、それはゲームのルールを理解していないからだ。「法則」を理解していないのだよ。

だが、この「宇宙を貫く永遠の法則」を理解している人たちはいる（あなたがたが知らなくても、そういう人たちはいるし、しかもあらゆる次元に存在する）。その人たちはどこが違うかといえば、思考が引き起こす自分の感情に敏感に気づいていることだ。

正しいビジュアル化の方法は？

ジェリー　エイブラハム、何か欲しいものについて考えるというかビジュアル化するとき、欲しいものだけでなく欲しいものを獲得する方策（どんなふうに手に入るか）についても思い描くべきですか？　それともただ最終的な結果だけをビジュアル化して、どうやってという部分は、多少ともなりゆきに任せておくほうが賢明ですか？

エイブラハム　具体的な方策に自分もかかわりたいとはっきり思っているなら、そこに関心を向けてもかまわない。

具体的すぎるかどうかを判断する簡単な鍵は、どう感じるかにある。言い換えれば、「ワークショップ」で具体的なことを考えているときに、ワクワクしたりうれしいとか楽しいという前向きの感情になるなら、よろしい。だが十分なデータが集まってもいないのに具体的になりすぎると、疑惑や不安を感じるだろう。だから、**バランスのとれた意図であるかどうかを判断するには、自分の感じ方に注意を払っていればいい。前向きの感情がわくくらい、だがネガティブな感情にはならない程度に具体的であることだ。**

「こういう理由」で「これ」が欲しいと言うとき、普通はいい気分になる。だが、「これ」が「こんなふうに」手に入ると具体的に言おうとしても、まだどう展開するかがはっきりわからないときには不安になるだろう。「誰」が助けてくれるとか、「いつ」「どこで」実現すると言おうとしても、その答えがわかっていない場合には、具体的に描こうとすることで、かえって実現が妨げられる。**心地よくいられる範囲でできるだけ具体的に、ということがとても重要だ。**

ジェリー　例えば、楽しい環境で教師として仕事をしたいと望んだとします。そのとき、「歴史を教えたいか、数学か、哲学かを決めよう。それに高校で教えたいのか、それともそれ以外かも決めておこう」と考えるほうがいいですか？

エイブラハム　教師になりたい理由を考え、「自分が知識を知ることで発見した喜びをほかの人たちにも教えてあげたい」と思うとする。そのときの前向きの感情は、あなたの思考が創造に役立っていることを示している。だがそのあとに、「でも自分はこの科目についてそれほど詳しくはない」とか、「現在の学校制度では生徒には自由がない」「自分は学生のときに窒息しそうな思いをした」「好きな先生が一人もいなかった」というふうに考えるなら、気分はよくないだろうし、その具体的な思考は楽しい創造を阻害する。

重要なのは、**具体的であるべきか一般的であるべきかということではない。大事なのは思考が向かう方向だ。**心地よい思考を目指しなさい。心地よい思考を目指していれば、一般的な考え方をしているほうが早く実現することに気づくだろう。だが、心地よい思考を出発点にして、そのうえに心地よい具体的な思考をだんだんに積み重ねていくなら、心地よいままで具体的になることも簡単だ。それがいちばんいい創造のやり方だよ。

ジェリー　最終的な結果のエッセンスだけを思い描き、細かいことはみんななりゆきに任せたほうがいいでしょうか？

エイブラハム　それはいい方法だ。何もかも早送りして、まず求めるハッピーエンドに到達する。既に自分の望みがかなっているところを想像しなさい。そうすればその心地よいところに、望みをかなえるための具体的な思考、人々、状況、出来事などを引き寄せることができるだろう。

ジェリー　では、そのハッピーエンドについてはどの程度詳しく考えればいいでしょう？

エイブラハム　心地よくいられる範囲で、できる限り詳しく望ましいことを考えなさい。

過去の思考のまずい部分を消せるか？

ジェリー　今この瞬間の楽しい創造の妨げになりそうな過去の経験や思考、信念をきれいさっぱり消す方法はありますか？

エイブラハム　望まない経験を見つめて、もうそのことについては考えないと宣言しても無駄だ。その瞬間、そのことについて考えているのだから。だが、何か別のことを考えることはできる。関心を別のことに向ければ、過去に経験した望まないことは力を失うし、いずれはそのことをまったく考えなくなるだろう。過去を消そうと努力するより、現在に焦点を定めなさい。今、自分が望むことに思考を向けなさい。

悪循環を阻止するには？

ジェリー　自分が悪循環にはまりこんで、重要なことがみんなうまくいかず崩壊していくと気づいたとき、悪循環を止めて好循環に転換するにはどうすればいいですか？

エイブラハム　それは素晴らしい質問だ。「悪循環」というのは「引き寄せの法則」が働いているということだ。言い換えれば、始まりは小さなネガティブ思考だった。そこにさらに多くの思考が引き寄せられ、さらに多くの人々が引き寄せられ、さらに多くの会話が引き寄せられて、ついにはあなたの言うような非常に強力な悪循環になった。そこまでいってしまうと、望まないことから思考を引き上げるのはよほど強い存在でないとできない。言い換えれば、爪先に激痛が走っているのに健康な足に思考を向けるのは難しい、ということだ。**そこでわたしたちは、極端に否定的な状況では思考を変えようとするよりも、気持ちをそらすことを勧める。さらに言い換えれば、眠るとか映画を見に行く、音楽を聞く、ネコと遊ぶ……何でも考えが変わりそうなことをしてみることだ。**

あなたの言う「悪循環」にはまっていても、人生には相対的にいいことがある。どんな小さなことでも、自分に起こっている出来事のなかでいちばんいいことに焦点を定めれば、「引き寄せの法則」でいいことが引き寄せられてくる。**もっともっと望むことへと思考の方向を変えることで、スピーディな「悪循環」をスピーディな「好循環」に変えることができるのだ。**

二人が同じトロフィーを争う状況は？

ジェリー　競争しているときには、一人がトロフィーを獲得すれば相手は失うことになりますが、どうすればどちらも望みを遂げられますか？

エイブラハム　無限の「トロフィー」があると気づけばいい。トロフィーが一つしかない競争に参加したときには、当然、一人しかトロフィーを獲得できない状況に身を置くことになる。そのときはより明晰で強力な欲求を持ち、勝利を最も強く期待する者が勝利するだろう。

競争が役に立つのは欲求を刺激するからだが、成功への信念を阻害する可能性があるという欠点もある。競争を楽しむ方法を見つけなさい。トロフィーを持ち帰れなくても、競争がためになったと思うところを探しなさい。なんでもいいから心地よくなれれば、それがわたしたちの考えるいちばん大きなトロフィーだ。あなたがたはそのとき「つながり」を勝ち取る。明晰さを獲得し、バイタリティを獲得する。自分の「内なる存在」との調和を獲得する。そういう姿勢でいれば、たくさんのトロフィーを持ち帰れる。

この無限の宇宙ではリソースは無限だから、リソースを求めて競争する必要はない。あ

なたがたは自分でリソースを剥奪し、欠乏を感じているかもしれないが、実は自分でそう仕向けているだけだ。

非現実的な望みはあるか?

ジェリー　わたしたちが望むことで、あなたがたが非現実的だと思うようなことはありますか?

エイブラハム　あなたがたに想像できるなら、それは「現実的」だ。この時空世界の現実であなたがたが欲求を持つことができるなら、この時空世界の現実にはそれをかなえるリソースが存在する。必要なのは、あなたがたがその欲求と自分の波動を調和させることだけだ。

ジェリー　とにかく思い描けるなら想像できたと考えていいですか?

エイブラハム　あなたが想像のなかの自分を思い描けば、その環境が引き寄せられてきて、創造のための手段も見つかるだろう。

この原則を「悪」に適用できるか？

ジェリー　あなたがたが教えてくださった創造の原則を、「悪」と見られるかもしれないことの創造に、例えば当人の意志に反して他人の生命や持ち物を奪うことに使うことができますか？

エイブラハム　たとえあなたがそんなことは望まないほうがいいと思っても、誰かが当人の望むものを創造することは可能かな？

ジェリー　ええ。

エイブラハム　そのとおり。その人たちが望むことは……その人たちが引き寄せるだろう。

集団で一緒に創造すると力が大きくなるか？

ジェリー　集団で協力して力を、というか何かを創造する能力を足し合わせることは可能ですか？

エイブラハム　集団で何かを創造することの利点は、それによって欲求が刺激され、強化されることだ。欠点は、集団になると自分の欲求だけに焦点を定めておくのが難しくなること。あなたがたは個人個人として、自分が想像できるものならなんでも創造する力を持っている。だから他人と力を合わせる必要はない。協力すれば楽しいかもしれないが！

人がわたしの成功を望まないときは？

ジェリー　誰かと一緒にいるとき、相手がわたしの欲求に強く反対したら、それでも効果的に創造することは可能ですか？

エイブラハム　自分の欲求に焦点を定めておけば、人の反対は無視できる。だが、人の反対に対抗しようとすれば、自分の欲求から焦点がずれるから、創造にも影響が及ぶ。自分の欲求に焦点を定めておきたければ、反対にぶつからなくて済むように、その場から立ち去るほうが簡単だ。だが反対されるかもしれない相手と離れなければならないとすると、街にはあなたの考えに全面的に賛成ではないという人が必ずいるだろうから、街を出なければならない。さらには国からも出なければならず、地球上にいられなくなるだろう。だが、反対者から離れる必要はない。ただ自分の欲求に焦点を定め、あくまでもその焦点を明確にしていれば、どんな状況でも前向きに創造することができる。

ジェリー　わたしたちは思考が感情と結び付いている限り――それが望むことでも望まないことでも――考えることすべてのエッセンスを受け取ると、そうおっしゃるのですね？

エイブラハム　ある思考に長い間焦点を定めて考えていれば、「引き寄せの法則」によってさらに多くの考えが引き寄せられて、やがて感情がわき起こるほどはっきりした形をとるだろう。あなたが抱くすべての思考は、考え続けていれば、いつかはそのエッセンスをあなたの経験のなかに引き寄せるのに十分な力を持つのだ。

勢いのついた流れを成長に生かすには？

ジェリー　エイブラハム、創造したことが自分の成長、前進を促すほど勢いのある流れを作るには、どうすればいいでしょうか？

エイブラハム　小さなことでいいから、考えると幸せな気持ちになることを見つけ、「引き寄せの法則」が働いてさらに似たものが引き寄せられてくるまで、そこに焦点を定めておくことだ。望むことについて考えれば考えるほど、前向きの明るい感情が引き寄せられてくる。そして前向きの明るい感情が引き寄せられてくれば、望むことを考えていることがわかる。だから、あなたが望む流れの方向を、意図的、意識的に決めるのはあなた自身だ。

誰でも例外なく自分の経験に起こることを自分で引き寄せているが、思考の方向を意識して選び、心地よい考えのほうへ穏やかに思考を導いていけば、もう惰性によって望まないことを創造したりしなくなる。強力な「引き寄せの法則」を認識し、自分の感情に気をつけると決意して、いい気分でいようと願えば、「意図的な創造」の喜びを体験することができる。

Part 4

許容し可能にする術

「許容し可能にする術」の定義

ジェリー　このテーマは、新たな理解ということではわたしにとって最も衝撃的だったものです。今までこういう視点から考えたことがなかったうえに、あなたがたは非常に明快に説明してくださった。それが「許容し可能にする術」です。それではお話しいただけますか？

エイブラハム　わたしたちが何よりもあなたがたに思い出させてあげたいと思うのは、この「許容し可能にする術」におけるあなたがたの役割だ。この「法則」を十分に理解して実際に適用すれば、すべてが思いどおりになる。言い換えれば、「引き寄せの法則」はあなたがたが理解しようとしまいと存在する。常にあなたがたに作用し、あなたがたが考えることにいつも正確に対応した結果をもたらす。だが「許容し可能にする術」を意図的に適用するには、自分がどう感じているかを常に意識し、思考の方向を選ばなくてはならない。この「法則」を理解できるかどうかで、「意図的に」創造するか、「惰性で」創造するかが決まる。

「許容し可能にする術」を「引き寄せの法則」「意図的な創造の方法論」の次にもってき

たのは、前の二つの法則を理解できなければ「許容し可能にする術」は始められないからだ。

「許容し可能にする術」とわたしたちが言うのは、次のようなことである。わたしはわたしであり、わたしはありのままの自分に喜びを感じて、楽しんでいる。あなたはあなたであり、たぶんわたしとは違うだろうが、それもそれでよろしい。なぜなら、わたしたちの間に劇的な相違があっても、わたしは自分が欲することに焦点を定めることができるし、自分に不快感をもたらすことに焦点を定めるほど愚かではないから、ネガティブな暗い感情に苦しめられることはない。わたしは「許容し可能にする術」を現実に適用する者としてこの物質世界にやってきたのは、自分が思う「真実」に全員を従わせるためではないことを理解している。また画一性や同一性を促進するためにやってきたのでもない。同一性、画一性には、創造性を刺激する多様性がないことが理解できないほど愚かではないからだ。画一性の実現に焦点を定めれば、わたしは創造の継続ではなく終焉に向かうことになるだろう。

だから「許容し可能にする術」は、この地球と地球上の種さらにはこの宇宙自体の存続あるいは生存にどうしても欠かせないし、その存続はすべての「源（ソース）」の幅広い視点から力強く認められている。物質世界の視点に立っているあなたがたは、自分自身の成長、拡大を認めないかもしれないが、そのときには自分が腐りかけているような嫌な気分になるだろう。そして他人の成長、拡大を認めないときにも、自分が腐りかけているような嫌な気分になるはずだ。

気がかりな状況を見て、しかしそれを止めたり変えたりするために努力するのではなく、放っておこうと思うとき、あなたはその状況を「我慢」している。これは「許容し可能にする」こととはまったく違う。「許容し可能にする」とは、自分と「内なる存在」とのつながりを維持し続けられる物事の見方を探す術だ。それはこの時空という現実の世界にちりばめられたデータのなかを選択的に移動しながら、心地よい物事に焦点を定めることで実現できる。つまり「感情というナビゲーションシステム」を活用して、思考が向く方向を決定するということだ。

他人の思考から自分を守るには？

ジェリー　そこで初めにぶつかる難問があります。自分とは違う考え方をして、考え方が違うあまりに、言ってみればこっちのスペースに侵入してくるような人たちから自分を守るためには、どうすればいいのでしょうか？

エイブラハム　なるほど。だからこそ「許容し可能にする術」を理解して受け入れる前に、まず「引き寄せの法則」と「意図的な創造の方法論」を理解しなくてはいけないと言ったのだ。確かに、どうして自分にある出来事が起こるのかが理解できなければ、心配になるだろう。あなたが自分の思考を通じて招き入れない限り、他人はあなたの経験に入ってはこられないということがわからなければ、もちろん人がしていることを不安に思うだろう。だが、自分が思考を通じて――感情的な思考と大きな期待とによって――招き入れない限り、何も自分の経験に入ってはこないとわかれば、積極的にこの精妙な創造のバランスを生み出さない限り、あなたには何も起こらない。

この強力な「宇宙を貫く法則」を理解すれば、もう壁やバリケードや軍隊や戦争や監獄の必要はなくなる。自分は自由に思いどおりの世界を創造できるし、他人は当人が選んだ世界を創造していて、他人の選択が自分を脅かすことはないとわかるからだ。それがわからなければ、絶対的な自由を享受することはできない。

この物質世界には、あなたが絶対的に同調できることもあるし、絶対的に同調できないこともあり――その中間のあらゆることがある。だが、物事は常に変化し続けているし、あなたがたは自分が賛成できないことを破壊したり封じ込めたりするためにこの世界にやってきたのではない。この世界にやってきたのは、一瞬一瞬に、部分ごとに、日々、年々歳々、自分が何を望むかを明らかにし、思考の力を使ってその欲求に焦点を定め、「引き寄せの法則」によってそれが自分に引き寄せられることを「許容し可能にする」ためだ。

わたしたちは他人の行動に脅かされない

ほとんどの人が他人の行動を認めようとしないのは、「引き寄せの法則」を理解していないからで、望まないことが自分の経験のなかに滑り込んだり飛び込んだりするかもしれないと誤解しているためだ。その人たちは自分が望まない経験をしたり、他人が望まない目にあったりしているのを見て、誰も嫌な経験を意図的に選んだりするはずはないのだから、そのような脅威が実在すると考える。他人の行動を放っておいたら自分の経験にも波及するかもしれないと心配する。「引き寄せの法則」を理解していないと、危険を感じて防御的になり、危機感を基に壁を築こう、軍隊を集めようとするが、それは無駄な努力だ。望まないことに抵抗すれば、ますますその望まないことが増えていくだけなのだから。

わたしたちがこうして話しているのは、あなたがたに世界からあらゆる明暗のコントラストを追放させるためではない。あなたがたが消滅させたいと思うかもしれないコントラストは、「すべてであるもの」の成長、拡大の契機だから。わたしたちがこうして話しているのは、膨大な多様性が存在するなかであなたがたが楽しい人生を送ることが可能だとわかっているからだ。わたしたちがこうして話しているのは、「宇宙を貫く法則」を理解して適用したときにだけ経験できる個人的な自由を見いだしてもらいたいからだ。

最初の二つの「法則」を理解し適用するまでは、「許容し可能にする術」は理解できないし、適用できない。他人の行動や言葉に影響されずに済むことが理解できるまでは、あなたがたは他人を認めようという気になれないだろう。あなたがたの――あなたがたという「存在」の核心から発する――感情はきわめて強力で、あなたがたは自己を維持することを望むから、その自己を脅かすことは認められないし、認めようとは思わない。

わたしたちが説明している「法則」は「永遠」、つまりいつまでも変わらない。これらの法則は「普遍的」、つまりどこにでも働いている。そして「絶対的」、つまりあなたがたが知っていようがいまいが、あなたがたがその存在を受け入れようが受け入れまいが存在する――そしてあなたがたが知っていようがいまいが、あなたがたの人生に影響する。

人生というゲームのルール

わたしたちが言う「法則」は、あなたがたの多くが「法則」という地上の取り決めのことではない。あなたがたの世界には重力の法則があり、時空の法則があり、そのほかたくさんの法則があって、交通や市民の行動を規制する法まである。だが、わたしたちが言う「法則」は恒久普遍の「宇宙を貫く法則」だ。そして、そのような法則はあなたがたが思うほど多くはない。

この三つの基本的な「法則」を理解して適用すれば、あなたがたの宇宙がどのように機能しているか理解できるだろう。あなたがたが経験するすべてはどのようにして起こるのかも理解できるだろう。自分に起こるすべては自分が招き寄せ、創造し、引き寄せていることを認識し、それどころか人生経験を意図的にコントロールできるようになるだろう。そして何よりもそのとき、そのときにのみ、自由を感じるだろう。自由とは自分はどうしてこうなるのか、ということが理解できたときにのみ生じるのだ。

ここで、物質世界におけるあなたがたの経験というゲームのルールを教えてあげよう。なぜひともそのルールを教えてあげたいと思うのは、物質世界の生命の経験と見えない世界の生命の経験を含め、すべての生命のゲームに共通するルールだからだ。

宇宙を貫く最も強力な法則——「引き寄せの法則」——は、要するにそれ自身に似たものを引き寄せる、ということだ。人生で何かがうまくいかなくなると、何もかもうまくいかなくなることに気づいたことがあるかもしれない。朝、気分よく目覚めると、その日は一日楽しい。だが、朝から誰かとケンカしたりすると、その日はいろいろな面でろくなことがない。それが「引き寄せの法則」だ。それどころか、あなたがたの経験のすべてが、最もわかりやすいものから最もわかりにくいものまで、この強力な「法則」に影響されている。何か楽しいことを考えると、「引き寄せの法則」によって同じように楽しい思考がわき起こる。何か不快なことを考えると、「引き寄せの法則」によって同じように不快な思考が次々とやってきて、過去を振り返って同じように不快なことを考えたり、誰かと不快なことを話題にしたりして、不快な考えはますます大きくふくらんで、あなたを取り囲んでしまう。さらに不快な考えが大きくなればなるほど勢いがつき、力が……引き寄せの力が強くなる。この「法則」を理解していれば、自分が経験に引き寄せたいと思う方向にだけ思考を向け、経験に引き寄せたくないと思う思考からは関心をそらそうと決意するだろう。

さて、「意図的な創造の方法論」とはこういうことだ。わたしが思考を向けた対象は、**引き寄せられ始める。わたしが思考を向けた対象で、強い感情をわき起こさせるものは、早く引き寄せられる。そして強い感情を伴う思考を向けて力強く引き寄せ、実現を期待することは、実現する。**

「意図的な創造」では、いってみれば二つの部分がバランスしている。一方には思考があり、もう一方には期待や信念、つまり「許容し可能にすること」がある。だから何かに思考を向けて、それが実現すると期待し、あるいは信じれば、思考の対象を受け取る準備が完璧にできたことになる。望もうと望むまいと思考が実現するのはそのためだ。あなたの思考は強力な磁石で、互いに引き寄せ合う。**思考は思考を引き寄せ、あなたは関心を向けることで思考を引き寄せる。**

　これらの「法則」は、普通他人の経験を見るほうがわかりやすい。豊かな話ばかりしている人は、豊かさを獲得していることに気づくだろう。健康の話ばかりしている人は、健康を獲得する。病気の話ばかりしている人は、病気になる。貧しい話ばかりしている人は、貧しくなる。これが「法則」だ。それ以外のことは起こり得ない。**あなたがどう感じているか、そこが「引き寄せの作用点」になる。だから、自分は磁石で自分が感じているのと同じことを次々に引き寄せるのだと考えれば、「引き寄せの法則」はわかりやすい。**孤独を感じていれば、ますます孤独を引き寄せる。貧困を感じていれば、ますます貧困を引き寄せる。病気だと感じていれば、ますます病気を引き寄せる。健康で活力があり生き生きと繁栄していると感じていれば、ますますそのとおりになっていく。

言葉ではなく人生経験が教える

わたしたちは教師で、さまざまに教えた経験から、「言葉で教えるのではない」という非常に大切な事実を学んだ。言葉ではなく、人生経験を通じてわかるのだ。だから、あなたがたもこの本で読んだことと、自分の人生経験との絶対的な関係を理解しようと思うなら、自分の人生経験を振り返り、これからの人生経験を観察してみるといい。そして、自分が考えていることが実現するのだと気づけば、そのとき、そのときに初めて、自分の思考に関心を払いたい（実際には意図的にコントロールしたい）と思うだろう。

思考をコントロールしようと決意すれば、コントロールはしやすくなる。望まないことを考えてしまうのは、それが自分の経験にどれほど有害か知らないからだ。ネガティブな経験をしたくない、前向きの経験をしたいと思い、望まないことを考えればますます望まないことが経験のなかに引き寄せられてくるとわかれば、思考をコントロールしたいという欲求が非常に強くなり、思考をコントロールすることはさほど難しくなくなるだろう。

思考を監視するのは容易なことではない。思考を監視していると、考える時間がなくなる。だから思考を監視する代わりに別の効果的な方法を勧めたい。あなたがたは物質世界の存在で、物質世界の五感を使って焦点を定めてはいるが、同時にあなたがたのなかにもう一つの部分——もっと広くて賢くてしかも古い部分——が存在し、その部分（わたしたちは「内なる存在」とよぶ）が、あなたがたとコミュニケーションをとっていることを知っている人はごく少ない。このコミュニケーションはさまざまな形をとる。くっきりとした鮮やかな思考となって届くことも、ときにははっきりと言葉が聞こえることさえあるが、どんなときも感情という形でやってくる。

あなたがたはこの世界に現れる前に、「内なる存在」とコミュニケーションしようという取り決めをした。さらにそれが見逃しやすい思考への刺激や言葉ではなく、感情として現れることも決められた。何かを考えているときには、ほかの考えがやってきても気づかないかもしれない。考えているとき、しかも考えに没入しているときには、同じ部屋にいる誰かに話しかけられても気づかないのと同じだ。だから感じ方、つまり感情は非常によいコミュニケーションになる。

感情には二種類ある。心地よい感情とよくない感情だ。そしてあなたが自分の望みと調和したことを考え、話し、行動しているときには心地よい、ということも決められている。同様に自分の意図と調和しないことを話し、考え、行動しているときには心地よくないことも決まっている。だから、思考を監視する必要はない。ただ、自分がどう感じるかに注意を払い、ネガティブな感情になったら、自分は違った創造をしていると気づくことだ。ネガティブな感情でいるときには自分が望まないことを考えているから、望まないことのエッセンスが経験のなかに引き寄せられてくる。創造とは引き寄せのプロセスだ。何かを考えれば、その思考の対象が引き寄せられてくるのだ。

我慢と「許容し可能にすること」とは違う

それに、この文章を読めば、あなたの脅威となる人も脅威を与える事柄もないことがわかるだろう。自分の経験をコントロールしているのはあなただ。「わたしはわたしであり、わたしはまたほかのすべての人がその人のままであることを認める」という「許容し可能にする術」とは、全面的な自由へとあなたがたを導くだろう。望まない経験をいっさいしない自由、自分が賛成しない経験へのネガティブな対応をいっさいしない自由だ。

「許容し可能にする者」であるのはいいことだと言うと、誤解する人が大勢いる。「許容し可能にする」とは「我慢」することだと思うからだ。あなたはあなたで（それはあなたの基準からいって適切であり）、ほかのすべての人は、たとえあなたが気に入らなくても当人が望むとおりでいることを認めようと思う。ところが、そのことについてネガティブな気持ちになる。誰かを気の毒に思ったりする。それどころか自分の身が不安になる。それでも人がありのままであることを認めようと思う。しかし、これは我慢しているだけだ。

我慢は「許容し可能にすること」ではない。この二つは別々のことだ。我慢している人はネガティブな感情を覚える。「許容し可能にする者」はネガティブな感情にはならない。これは非常に大きな違いだ。ネガティブな感情がないこと、それが自由だから。ネガティブな感情でいながら、自由であることはあり得ない。

あなたが我慢してほかの人の行動を邪魔しないなら、我慢はほかの人にとって有利だろう。だがあなたにとっては有利ではない。我慢しているあなたはネガティブな感情でいるし、したがってネガティブなことを引き寄せている。だが「許容し可能にする者」になれば望まないことを経験に引き寄せることはないし、絶対的な自由と喜びを経験するだろう。

問題を観察するのではなく、解決策にフォーカス

多くの人は言うだろう。「エイブラハム、それでは頭を砂に突っ込んでいるみたいに、見て見ぬふりをしろというのですか？　困っている人を放っておけというのですか？　なんとか助けてあげられないかと考えるのはいけないというのですか？」。それについて、わたしたちはこう言う。「もし助けたいと思うなら、『問題』にではなくて『援助』に目を向けなくてはいけない、この二つはまるで別のことだ」と。**解決策を求めているときには、あなたがたは前向きな気持ちになる。だが問題を見つめているとネガティブな暗い気持ちになる。**

相手が何を望んでいるかがわかっているとき、そして望んでいることが実現するようにあなたの言葉や関心を通じて相手を元気づけようとするときは、あなたがたはとても大きな力になることができる。だが、不運に見舞われた人、非常に貧しい人や重病の人を見て、哀れみと同情からその人たちが望まないことについて語りかければ、あなたがたはネガティブな暗い気持ちになる。それはあなたがたが不運や貧しさや病を助長しているからだ。相手が望んでいないことについて語るとき、あなたは彼らの間違った創造に力を貸している。望まないことを引き寄せる彼らの波動を増幅しているからだ。

友達が病気になったら、元気になった友達を想像するように努めなさい。友達の病気に注目すると、暗い気持ちになることに気づくはずだ。しかし、回復の可能性に注目すれば明るい気持ちになる。友達の「幸せ」に焦点を定めることで、あなたは友達の回復を見つめる自分の「内なる存在」とつながる。それによって友達の回復にいい影響を及ぼすだろう。自分の「内なる存在」とつながっているとき、あなたの影響力は最大になる。もちろん友達はまだ回復よりも病気に焦点を定めているかもしれないし、そのためにまだ治らないかもしれない。だが友達の影響を受けた思考であなたも一緒にネガティブな暗い気持ちになってしまうと、望まないことに向かう当人の影響力のほうが望むほうへ向かおうとするあなたの影響力よりも大きくなってしまう。

相手を元気づけるには、自分が幸せという実例を見せる

気の毒に思って慰めの言葉をかけても、相手を元気づけることはできないだろう。相手の望みがかなっていないことを認めて、元気づけることはできない。元気づけるには、あなた自身が違う姿を見せなくてはならない。あなた自身が力と明晰さの実例となり、それを通じて元気づけることだ。あなたが健康なら、健康になりたいという相手の欲求を刺激

するかもしれない。あなたが豊かなら、豊かになりたいという相手の欲求を刺激するかもしれない。あなたが実例となって相手を元気づけなさい。あなたの心で相手を元気づけなさい。あなたの思考が心地よいなら、相手を元気づけることになる。あなたが嫌な気持ちになることを考えていれば、相手を落ち込ませたり、ネガティブな想像を助長したりする。

他人がありのままのあなたを認めなくても、あなたがありのままの他人を認めるならば、他人が認めてくれなくても、あなたがありのままの自分でいられるならば、他人がどう見ようともありのままの自分でいられて、人にどう見られてもネガティブな暗い気持ちにならないでいられるならば、「許容し可能にする」状態に達したと思っていい。世界を眺めていつも楽しい気持ちでいられるなら、あなたは「許容し可能にする者」だ。どの経験は楽しくどれは楽しくないかが見分けられれば、そして楽しい経験にだけ参加するという筋を通せるなら、あなたは「許容し可能にする」状態に達している。

欲することと必要とすることの微妙な違い

前向きな感情とネガティブな感情の違いがときに微妙であるように、**欲することと必要とすることの違いも非常に微妙な場合がある**ことを覚えていよう。

自分が欲することに焦点を定めていると、「内なる存在」は前向きの明るい感情を送ってくる。必要なことに焦点を定めていると、欲することに焦点を定めているのではないから、「内なる存在」はネガティブな暗い感情を送ってくる。そのときあなたは欲することの「欠落」に焦点を定めている。そして「内なる存在」はあなたの思考が対象を引き寄せることを知っている。「内なる存在」はあなたが欠落を望んでいないことを知っている。「内なる存在」はあなたが何を欲しているかを知っていて、その違いをわからせようと指針を送ってくる。

解決策に焦点を定めているときには、前向きの明るい気持ちになる。問題に焦点を定めていると、ネガティブな暗い気持ちになる。その違いは微妙だが非常に重要だ。なぜなら前向きの明るい気持ちでいるときには、欲していることを経験に引き寄せているのだから。ネガティブな暗い気持ちでいるときには、望まないことを経験に引き寄せている。

意図的、意識的に楽しく創造する

そこで「許容し可能にする者」とは、「意図的な創造の方法論」を学び、間違った創造をしない域に達した者といえるだろう。その人は意図的、意識的に楽しく創造する。そうなって初めて満足できる。何かを欲し、その実現を可能にして、成果を受け取るときにのみ、満足できるからだ。だから、物質世界を経験していくなかで欲する対象に思考をしっかりと向け、力強い「引き寄せの法則」を活用し、自分と相性のいい出来事や状況や人を次々と経験のなかに引き寄せていけば、あなたの人生には喜びと自由の好循環が始まるだろう。

「許容し可能にする術」実践のポイントとは？

ジェリー　エイブラハム、質問があります。「許容し可能にする術」ということは、わたしにとってはいちばんワクワクするテーマなんです。

エイブラハム　あなたがこの経験のなかへ生まれ出たのは、「許容し可能にすること」を教えるためだ。だが、教える前にまず知らなければならない。普通、このテーマはこんな場合に取り上げられる。「誰かがわたしの好まないことをしている。どうすれば、わたしの好む行動をさせられるだろうか？」。ここで理解しなければならないのは、こういうことだ。世界のすべてに同じことをさせようと努力するよりも、あるいはあなたが好むことをさせようとするよりも、誰でも当人の好きなように振る舞い、行動し、所有する権利があることを認め、あなたは思考の力を通じて自分と調和することだけを引き寄せるほうがずっといいのだ。

正邪の見分け方は？

ジェリー　あなたがたにお会いするまでは、わたしは「許容し可能にする術」を知りませんでした。それで、ある行動が正しいか間違っているかを考えるときには、全員がその行動をしたら世界はどうなるか、と想像することにしていました。その結果、世界が楽しくて心地よい場所になるなら、その行動をしてもいい。だが、誰もがそういう行動をする世界には住みたくないと思ったら、その行動はやめる、というわけです。

例を挙げましょう。わたしは以前、マスの渓流釣りが好きで、最初はみんなと同じような釣り方をしていました。できるだけたくさんのマスを釣るんです。でもそれがいいことかどうかちょっと不安になったので、考えました。「全世界の人が同じことをしたら、どうなるだろう？」。全員が自分のような釣り方をしたらと想像すると、世界中の渓流の魚が釣られてしまって、ほかの人たちはこんな素晴らしい楽しみを失ってしまうことがわかりました。それで、もう魚を殺すのはやめよう、と決意しました。（さかとげのないルアーを使って）釣ったあとに放してやることにしたのです。さかとげのないルアーを使おう、そして誰かに頼まれて食用に持って帰る以外は、川に返してやろうと決めたのです。

エイブラハム　けっこう。誰でもいちばん役に立つことができるのは、自分で実例を示すことだ。わたしたちはその実例に言葉を付け加えたり、思考を付け加えたり、もちろん行動を付け加えたりすることができる。だが、この世界をもっとよいところにしたいと思う場合、誰にとっても重要なのは、その時点その時点で自分がどうありたいかをはっきりと見定めて、そのとおりにすることだ。

例えばあなたのさっきの例は、わたしたちがここで教えていることと一致している。そのときあなたは自分が欲することは何かを決め、「内なる存在」はあなたが適切なことをしようとしていると知らせるために感情を送ってきた。言い換えると、この世界をもっとよいところにしたいと決意し、自分はこの世界に何かを付け加えたい、不当に何かを奪うことはしたくないと決めたとき、あなたがとる行動、とろうとする行動がその意図と調和していない場合には、不快な落ち着かない気持ちになる。

あなたは自分がしようとしていることを世界中の人がしたらどうなるかと想像して、この世界をよいところにしたいという欲求を拡大してみた。それによって内側からの指針が強調された。なかなかいい方法だ。あなたは全員に同じことをさせようとしたのではない。ただ、全員が同じことをしたらと考えて、自分がそれをするのがいいことかどうかを見定める手がかりにしようとした。とてもいいやり方だった。

誰かが不正をしていたら？

ジェリー　あの方法はわたしにはうまくいきました。それで、とても楽しい釣りができました。だが、ほかの人が釣りをして、ただ楽しみのために、あるいは理由はどうあれ……魚を殺しているのを見ると、とても嫌な気持ちになりましたよ。

エイブラハム　けっこう。それはとても重要なポイントだ。あなたの行動があなたの意図と調和していれば楽しいと感じる。だが他人の行動があなたの意図と調和していないと、あなたは喜びを感じない。だから、他人に関しては違う意図を持つ必要がある。いいのは、他人についてこういう意図を持つことだ。「彼らは彼らであり、彼ら自身の経験の創造者で、自分で自分の経験を引き寄せているが、わたしはわたしの経験の創造者で、わたしの経験を引き寄せている。これが『許容し可能にする術』だ」。今の言葉を何度も繰り返して自分に言い聞かせているうちに、心配したように他人があなたの世界をめちゃくちゃにすることは本当はあり得ないとわかってくる。彼らは彼らの世界を創っている。それに、彼らにとっては別にめちゃくちゃな世界ではないだろう。

難しいのは、世界を豊かなところではないと思っているときだ。そのとき、あなたはどれくらいの数の魚がいるのか、あるいは世界にはどれほどの富と豊かさがあるのかという考え方をする。そして、誰かが無駄や浪費をすると残りの者や自分が乏しくなると心配し始める。

この宇宙は、あなたがたが参加した物質世界における経験は、とても豊かで、その豊かさに終わりはないから、心配する必要はない。彼らは彼らなりに創造し引き寄せればいいし、あなたはあなたで創造し引き寄せればいい。

望まないことを無視すれば望むことが可能になるか？

ジェリー　わたしが釣りのジレンマを解決したのは１９７０年代のことで、その後９年ほどは、いわゆる外の世界からのインプットを完全に断っていました。テレビもラジオもつけず、新聞も読まず、自分が聞きたくないことを話す人からも遠ざかりました。その決断も、自分にとっては効果があったんです。とてもうまくいったので、その9年間に大勢の人と知り合って人間関係でも素晴らしい成果があったと感じましたし、完璧な健康を回復し維持できましたし、金銭的リソースの面でも発展がありました。あんなに充実したことは、それまでの人生ではまったくありませんでした。でもネガティブなインプットをあんなふうに閉め出して、自分の意図にだけ関心を向け続けたのは、あなたがたが言う「許容し可能にすること」というよりも、頭を砂に突っ込んで何もかも見ないふりをすることに近かったと思います。

エイブラハム　自分にとって重要なことに関心を向けるのは、とても価値のあることだ。あなたが言うように頭を砂のなかに突っ込んで、外界の影響を締め出したために、あなたは自分にとって重要なことにだけ焦点を定めることができた。なんであれ思考を向ければ、そこから力と明晰さと結果を引き出すことになるのはわかるだろう。そしてそこに満足を感じる。それは、欲して、可能にして、達成するときにだけ感じる満足だ。

頭を砂に突っ込んで無視して関心を払わないのは、「許容し可能にすること」とは違うだろうというが、この二つはあなたが考えるよりも近いかもしれない。自分にとって重要なことに関心を向けるのは、他人がありのままの他人であるのを「許容し可能にする」プロセスだ。自分自身に関心を向け、同時に他人が自分自身に関心を向けることを「許容し可能にすること」は、「許容し可能にする者」になるうえでとても重要なプロセスだ。

ジェリー　言い換えれば、わたしは「引き寄せの法則」と「意図的創造のプロセス」（この言葉は聞いたことがありませんでしたが）が働くことを期待したから、ある意味で自動的に「許容し可能にする」段階に到達したってことですか？

エイブラハム　そのとおり。あなたは自分にとって重要なことに関心を向け、それによってますます重要なことを自分に引き寄せた。だからテレビを見てもおもしろくないし、新聞もどうでもよくなった。あなたは欲することを自分に禁じたのではなく、「引き寄せの法則」に従って自分が最も欲することをさらにたくさん引き寄せた。テレビや新聞で自分が欲しないことを見てネガティブな暗い気分になったら、自分が欲することを可能にする妨げになる。

誰もが「許容し可能にする術」を知りたがっている?

ジェリー　わたしたち物質世界で生きる者のほとんどは、この「許容し可能にする術」を理解したがっているのでしょうか?　それとも、あなたがたと話そうというわたしたちのような者だけが理解したいと思っているのですか?

エイブラハム　現在、地上の物質世界に存在するあなたがたすべてが、この身体に宿る前には「許容し可能にすること」を理解し、「許容し可能にする者」であろうと考えていた。だが、あなたがたのほとんどは、物質世界の視点からそれを理解したり欲したりすることからきわめて遠い場所にいる。お互いの存在を「許容し可能にする」よりも、お互いをコントロールしたがっている。思考の方向をコントロールすることを学ぶのは難しくないが、お互いをコントロールすることはまったく不可能だ。

「許容し可能にする術」でネガティブに対処するとは?

ジェリー　それでは「許容し可能にする」状態とは、あるレベルでは自分の周囲でネガティブなこと（あるいはわたしたちの視点からネガティブと感じること）を目にし、認識しても、それでも楽しいままでいようとする、ということなのですか？　それともネガティブなことはぜんぜん見ないんでしょうか？　あるいはネガティブとは見ないのですか？

エイブラハム　そのすべてだ。あなたが自分にとって重要なことに焦点を定めていたときには、テレビを見ないし、新聞を読まなかった。自分のすることを楽しんでいたわけだ。自分にとって重要なことに関心を向け、「引き寄せの法則」によってそれがますます力を持ち、明晰になっていった。ほかのことは成長し望みを達成しようというあなたの意図と一致せず、あなたの経験に引き寄せられてはこなかった。

自分が欲することがはっきりわかっていれば、自分を無理やりに軌道に乗せる必要はない。「引き寄せの法則」によって自然にそうなる。また、「許容し可能にする者」でいることも難しくない。簡単にそうなる。なぜなら、自分にとって大切なこととは無関係なほかのすべてに関心がなくなるから。

テレビは価値ある情報をたくさん提供しているかもしれないが、それよりもはるかに多くの、あなたがたが体験したいこととはほとんど無関係な情報を送ってくる。あなたがたの多くは、ただテレビがあるから、ほかのことを決意していないから、座って見ている。

だからテレビを見るというのは普通、意図的な行動というよりも惰性の行動なのだ。そのようなはっきりした意図のない、決意のない状態では、やってくるものの影響に無防備に身をさらしてしまう。自分が何について考えたいかというはっきりした意識を持たずに、自分が欲していない周りの世界の出来事の思考という刺激に文字どおり爆撃されていると、自分が選択しなかったものをたくさん経験のなかに取り込んでしまう。

これが惰性によって創造する、ということだ。はっきりした意図もなしに何かに思考を向け……それについて考え、したがって、それを——欲していてもいなくても——引き寄せてしまうのだ。

「許容し可能にする」状態になるには？

ジェリー エイブラハム、わたしの周りには、たぶん当人の目から見ても苦痛を体験している人や、わたしから見たらネガティブだと思う体験をしている人がたくさんいます。それがわかっていても、自分はその「許容し可能にする」状態になりたい、その状態に到達してそのままでいたいと思ったら、どうすればいいのか、教えてください。

エイブラハム　わたしたちが勧めるのは、ある決断をすることだ。「今日自分が何をしようとも、誰とつきあおうとも、どこに行こうとも、自分は自分が見たいと思うことを探して見るぞ」という何ものにも負けない意志を持つ、という決断だ。そのような強い意志を持てば、「引き寄せの法則」によってあなたが引き寄せたいと思うものだけが引き寄せられてくるし、見たいと思うものだけを見ることになるだろう。

引き寄せるものを選びつつ、軌道修正する

自分が欲するものだけを引き寄せようという強い意志があれば、あなたは選択的に人生の軌道修正をすることができる。選択的に経験を引き寄せることができる。選択的に気づくことができる。初めのうちはまだ好ましくないものも引き寄せられてくるだろう。それは、以前の思考や信念の勢いの名残があるからだ。だが今日も「快適に」過ごすぞという気持ちで一日を始め、それが30日から60日も続けば、好ましくない経験がほとんどなくなることに気づくだろう。あなたの思考、勢いが、あなたをどんどん先に運んでいくからだ。

とても親しい誰かがあなたを脅かしていると感じていれば、あるいは別の誰かを脅かしていると思えば、「許容し可能にする者」になるのは難しい。そこで、あなたがたは言う。「エ

イブラハム、思考によってその脅威を遠ざけることができる、思考を通じて対処できる、行動は必要ではないと言われても、理解できません」と。そこでわたしたちは言う。「あなたがたは思考を通じて経験を招き寄せているのだが、今日の人生は過去の思考の結果だ。同じく今日の思考の結果が未来に投影される。今日の思考によって未来への道が敷かれ、やがてあなたはその未来に到達して、今の思考の結果を生きる。今日、過去の思考の結果を生きているのと同様だ」と。

過去、現在、未来は一つ

あなたがたはいつも考えており、過去と現在と未来は一つで切り離すことはできない。過去、現在、未来は思考の連続性によって一つに結ばれている。さて、あなたが通りを歩いていてケンカに遭遇したとしよう。大きな男がずっと小柄な男性を殴っているのだ。その場に近づいていきながら、あなたはネガティブな感情に満たされる。見て見ぬふりをしようか、見なかったことにして通り過ぎようかと考えると、非常に不快なネガティブな気持ちになる。小柄な男性が傷つくことを望まないからだ。それで、「よし、割って入って助けてやろう」と思う。だが、やっぱりネガティブな気持ちになる。今度は自分が顔を殴られたり、さらには命まで危うくすることを望まないからだ。それであなたがたは「エイブラハム、どうしたらいいのですか?」と言う。「そうだな、困ったね」とわたしたちは言う。この例では、完璧な選択肢はなさそうだ。過去に道をきちんと敷いてこなかったために、この瞬間、あなたはいろいろなことをしなければならないのだ。

以前から安全や調和を、そして安全に仲良く暮らしたいという思いに合った人との交流を意図して暮らしてきたとすれば、今のようなどうしようもない位置に立たされることは決してなかった、とわたしたちは断言する。だから今は、とにかく自分が選んだ方法で対処するしかないが、将来に望むことに思考を向けようと今日から決意すれば、将来はどっちに転んでもまずいという不快な状況に遭遇することはなくなるだろう。

不正を「許容し可能に」すべきか?

どうして自分がそうなるのか、ということを理解しない限り、「許容し可能にする」という考え方を受け入れるのは非常に困難だろう。なぜなら、この世界にはあなたが好まないことがたくさんあり、「どうしてこの不正を許容できるだろう?」と思うはずだからだ。そこでわたしたちは言う。「あなたがたはそれが自分の経験の一部ではないと認識することによって、『許容し可能にする』ことができるのだ」。それに、そのようなことは、実はあなたとは関係がない場合が多い。それはあなたの仕事ではない。あなたの創造ではない。誰かほかの人が引き寄せたことであり、ほかの人の経験だ。

ほかのすべての人たちの経験をコントロールしようなどと思わず（どんなに努力しても、それは不可能だ）、自分自身が他人の経験に参加するかどうかをコントロールしようと努めることだ。そして自分が送りたいと思う人生のイメージをはっきり描くことで、自分の人生に心地よく滑らかな道を敷くことができる。

好ましくないことに関心を向ければ、ますます好ましくないことが起こる

あなたは思考を通じて経験を引き寄せる。好むと好まざるとにかかわらず、思考の対象が実現する。だから乱暴なドライバーに関心を向ければ、ますます乱暴なドライバーに出会うだろう。サービスの悪さに関心を向ければ、どこに行ってもサービスの悪さにぶつかるだろう。関心を——特に感情を伴う関心を——向ける対象が、あなたの経験として引き寄せられてくる。

「許容し可能にする術」は健康にも効くか?

ジェリー　エイブラハム、実生活の日常的な体験について、いくつか質問をしたいんですが、そういう具体的な状況に「許容し可能にする術」をどう適用するか教えてもらえますか?

まず、身体的健康のことなんですが、わたしは子どものころ、長い間、極端に病弱でした。それから少し大きくなったとき、もう病気は嫌だと思い、それ以来、基本的にはとても健康になりました。この極端な病弱と極端な健康という二つの状況と、「許容し可能にする術」はどう関係するんでしょうか?

エイブラハム　何か欲しいという決断をすると、「意図的な創造」の方程式の半分は満たされる。あなたは感情を込めて考えた。それが「欲する」ということだ。意図的な創造の方程式のもう一方には「許容し可能にする」あるいは期待する、出現させるということがある。「わたしは望み、その実現を『許容し可能にする』、だからそれは実現する」と言うときには、何を欲するにしても非常に迅速な創造ができる。ほかのことを考えて押しのけたりせず、実現に抵抗しないことで、文字どおり自分に対して実現を「許容し可能にする」わけだ。

「許容し可能にする」状態になればネガティブな気持ちにはならないと前に言った。「許容し可能にする」状態はネガティブな気持ちから解放されている。したがって、何かを手に入れようと意図し、それについて前向きな気持ちだけを感じれば、それが「許容し可能にする」状態だ。そうなれば、あなたの希望どおりになる。わかるだろう？

病弱な状態から脱して健康になるには、健康について考えなければならない。病気のときにはどうしても病気に目が向くから、現在の状態を超えたところを見たいと思い、そこに焦点を定める意志を持つ必要がある。未来の健康な身体をイメージするか、過去のもっと健康だったころを思い出せば、あなたの思考は欲求と一致する。そうなれば、状態の改善を「許容し可能にする」ことになる。重要なのはもっと心地よい思考を探して実行することだ。

極端な貧困から快適な豊かさへ

ジェリー　次に話したいテーマは、富と豊かさということです。子ども時代、わたしはとても貧しく、ニワトリ小屋かテントか洞窟かというようなところで暮らしていました。ところが1965年に『思考は現実化する』という本と出会って、まったく違った物事の見方を教えられ、その日から経済状態はどんどん上向きになりました。フォルクスワーゲンのバスで暮らしていたのが、6桁から7桁の年収を得られるようになったんです。

エイブラハム　その本を読んで、ものの見方がどんなふうに変わったと思う？

ジェリー　そうですね。いちばんよく覚えているのは、成人してから初めて、自分が望むことだけに焦点を絞ったことです。でも、あなたのご意見もお聞きしたいんですが。

エイブラハム　あなたは自分が望むものを手に入れられる、ということを理解した。欲求は既に生まれていたが、その本を読んで、それが可能だと信じるようになったのだ。その本はあなたが自分の欲求の実現を「許容し可能にする」きっかけになったのだよ。

「許容し可能にすること」と人間関係

ジェリー　もう一つ、話し合いたい大きなテーマは人間関係です。友達が独自の考えや信念を持ち、「不適切な」行動をするのを黙認する、つまり「許容し可能にする」のが困難な時期がありました。

エイブラハム　その場合、「許容し可能にする」という言葉はどういう意味で使っている？

ジェリー　わたしは、彼らはわたしが望むとおりに考え、行動すべきだと思っていました。そうでないと非常に気分が悪く、ときにはとても腹が立ったのです。

エイブラハム　あなたは彼らの行動を見、話すことを聞いて、ネガティブな気持ちになった。それは、あなたが「許容し可能にする」状態にはなかった、という信号だ。

自己中心的なのは不道徳か？

ジェリー　それに、当時わたしは自分がとても鷹揚で気前がいいと思っていました。言い換えれば、自分が自己中心的な人間のはずがないと思い、他人ももっと鷹揚に気前よくすべきだと思っていたのです。ところがそうではないので、非常に気分が悪かった。それからデヴィッド・シーベリーの『自分が好きになる生き方』（三笠書房）という本を読み、「自己中心的」ということに対する見方が変わりました。そして、その新しい見方で自分の不快感を理解できるようになりました。

エイブラハム　自分が欲することに関心を向けること、自分に対してそれを「許容し可能にする」のは大切なことだ。それを自己中心的と非難がましくよぶ人もいる。だが健康な見方で自分を見ない限り、自分が何かを欲することを「許容し可能に」しない限り、また欲するものが手に入ると期待しない限り、決して意図的な創造はできないし、十分に満たされる経験もできないだろう。

普通「許容し可能にする」ことを自分に認めないから、他人にも認めない、という場合が多い。自分のいいところをいちばん認めない者が、他人のいいところも認めない。だから自分を受け入れ、肯定し、評価し、欲求の実現を可能にすることが、他人を評価し、肯定し、欲求の実現を可能にする第一歩なのだ。それは、自分の基準から見て自分が完璧になるまで、あるいは他人が他人の基準で完璧になるまで待ちなさいということではない。完璧という終点はあり得ない。あなたがたは常に変化し、常に成長する存在だから。そうではなくて、自分のなかに自分が見たいと思うものを見る意志を持ち、他人のなかにも自分が見たいと思うものを見る意志を持つ、ということだ。

わたしたちはよく「自己中心的になる」ことを教えると非難される。確かに、そのとおりのことを教えている。あなたがたは自己という立場からすべてを認識するのであり、自分よりもっと大きくて賢い「内なる存在」とのつながりや協調を主張するくらいにしっかりと自己中心的でなければ、他人のために役立つこともできない。自分の感情に気を配るほど自己中心的であって初めて、強力な「ソースエネルギー」と調和するために感情というナビゲーションシステムを活用することができるし、そうすれば、幸運にもあなたの関心の対象となる人は誰でも利益を得る。

あなたを否定する原因は向こう側にある

誰かがあなたのなかの何かを否定すると、それはその人の目に表れ、あなたは自分が非難されていると感じる。だが、それは否定する者のほうに欠落があるので、あなたのほうに何かが欠けているのではない。その人たちは他人の欲求を「許容し可能にすること」ができず、そのためにネガティブな気持ちになっている。原因はあなたの不完全さではない。ファッションと同じで、こんなのは見たくないという格好をしている人を見てネガティブな暗い気持ちになる理由は、相手ではなくてあなた自身にある。

また、自分が楽しいと感じるものだけを見ようと決意すれば、楽しいものだけが目に入るようになり、前向きの明るい気持ちになることだけを経験できる。「引き寄せの法則」によって、あなたの欲求と調和するものだけが引き寄せられてくるからだ。感情の力を理解することで、自分の思考を望むほうへ方向づけることができるし、そうすれば他人がどんな行動をしようと心地よくいられるわけだ。

誰かが人の権利を侵害していたら?

ジェリー 以前、嫌な気持ちになったことがもう一つあります。財産権、領土権、平和に暮らす権利など、お互いの権利についてです。言い換えると、誰かの権利が暴力的に侵害されているのを見ると、あるいは誰かが無理やり所有物を取り上げられるのを見ると、とても不安で嫌な気持ちになりました。それに領土権ということでも悩みました。誰の入国は認め、誰の入国は認めるべきではないか、ということです。どうしてある人は認められ、別の人は認められないのか? でも、あなたがたに出会って、そういうのはみんなお互いがやっているゲームだと思うようになりました。はっきり言葉にしているか暗黙のうちにかはともかく、多かれ少なかれお互いに「取り決め」があって、そのうえでしているのだ、と。そうすると人々の苦痛をあんまり感じなくて済んで、楽になりました。でも、誰かの権利が侵害されていてもまったくネガティブな気持ちにならない、というところまでいけるのでしょうか？　何が行われていても、「あなたがたは自分で選んでそうしているんだね」と考えることができるのでしょうか？

エイブラハム　それはできる。人々は自分の思考を通じて経験を引き寄せていることが理解できれば、その人たちは自分の思考を通じて選択したネガティブな感情や前向きの感情を刈り入れているのだ、ということがわかるから、苦痛を感じるどころか生き生きした気分になれる。もちろん、その人たちの大半は自分がどうしてそうなるのかを理解していない。だから、大勢の人たちが自分は被害者だと信じている。彼らは自分がどうしてそうなるのかがわからないので、自分を被害者だと思う。自分が思考を通じ、関心を通じて、対象を招き寄せていることを理解していない。一つひとつの体験は欲求を明確にするきっかけになると気づけば、あなたの気持ちも楽になるのではないかな。

さて、あなたはさっき領土権と言った。わたしたちは「領土」について、あなたがた物質世界にいる人たちとは違う見方をしている。あなたがた物質世界にいる人たちは制約があると思っている。一定のスペースしかなく、やがてはスペースが足りなくなる、十分なスペースはない、と思っている。

制約に対するあなたがたの姿勢、豊富というよりは欠乏しているという感覚、スペースも金も健康も十分ではないという認識が基で、あなたがたは自己防衛しなければならないと感じる。だがわたしたちの視野からすれば、なんによらず制約などはなく、すべてがあふれるほどに豊富だ。何もかもあなたがたすべてに十分にゆきわたるだけ存在する。それさえ理解できれば、限界とか欠乏とか守備の必要とか領土権の防衛などは問題にならないはずだ。

「引き寄せの法則」によってわたしたちは互いに引き寄せられてくる。見えない世界にいるわたしたちの視野からすれば、「エイブラハムの一族」は本質的に同じだから集まっている。そして同じだからお互いに引き寄せ合っている。したがって、門番は必要ではない。わたしたちは調和しない者に関心を向けず、したがって調和しない者は引き寄せられてはこないから、調和しない者を締め出す警備員はいらない。あなたがたの環境でも同じことだ。わたしたちほどにはっきりと見抜くことはできないだろうが、しかし「法則」はわたしたちと同様にあなたがたにも完璧に作用している。あなたがたは物事についてやたらに物質世界の説明をつける。その説明は部分的には正しいかもしれないが、しかし完全ではない。つまり、「コップを蛇口の下にあてて栓をひねれば水が入る」とあなたがたは言うが、わたしたちに言わせればもっともっとたくさんのことが起こっているのだ。あなたがたは「地球上には敵がいて自分たちからすべてを奪おうとしている」と言うかもしれないが、わたしたちは「そんなことはあり得ない」と言う。あなたがたが思考を通じて招き寄せない限り、敵はあなたがたの経験の一部にはならない。あなたがたの物質世界であれ、わたしたちの見えない世界であれ、それが「法則」だ。

命を失うことに学びはあるか？

ジェリー　わたしたちは人生経験を繰り返してレッスンを学ぶのだ、と以前おっしゃいませんでしたか？　でも、暴力的な経験でこの物質世界の生命を失うとき、その経験によって学ぶことがあるのですか？

エイブラハム　あなたがたは「レッスン」を学びなさいと言われているわけではない。だから、わたしたちはその言葉はあまり好きではない。「レッスン」というと、学ぶべきだ、あるいは学ばなければならないと指示されているように聞こえるが、そんなことはない。ただあなたがたは人生経験を通じて物事を知り、知ることによってもっと賢い大きな存在になっていくだけだ。

物質世界の生命を失うことのなかにさえ価値がある、ということをきちんと評価するためには、その前に理解しなければならないことがある。あなたがたには物質世界の身体としての経験の総体よりももっと大きくて広い経験があり、あなたがたはこの人生で経験したことをその経験に追加していく、ということだ。今の人生の経験のすべてはその広い知に付け加えられていく。だから、今の身体として焦点を結んだ存在からあなたがたが移行しても、ここで経験したすべてはその大きな知の一部になる。だからあなたが言ったように、この物質世界の身体から離れるという経験のなかにさえも価値はある。それは無駄ではない。

死も経験の総体に追加される？

ジェリー　生命を失う経験もその大きな「存在」の経験の総体に追加されていく、とおっしゃるのですか？

エイブラハム　そのとおり。あなたがたは何度も物質世界の生命を失ってきた。あなたがたは何千回も生きてきた。生きようという情熱がこれほど大きいのはそのためだ。あなたがたが何回生きてきたか、ましてどんなふうに生きてきたかを言葉で説明することはできない。あなたがたは非常に多くの経験をしてきたから、すべてを記憶していれば今回の生が混乱し、妨げられる。だから記憶によって邪魔されないように、今の身体として生まれるとき、以前のことは思い出さないことにした。過去生の記憶よりももっといいものがあなたがたにはある。すべての過去生の集大成である「内なる存在」だ。

今のあなたはこれまで生きてきたすべての集大成だが、ここで3歳のとき、10歳のとき、12歳のときのことを細かく話してみてもなんの役にも立たないだろう。もちろん、そうしたすべてがあって、今のあなたがある。だが、過去を振り返り、昔の経験を反芻し続けても、今のあなたが得るものはあまりない。

だから、あなたがたがこの高度に進化した素晴らしい「存在」であることを受け入れ、自分の感情に敏感でいれば、自分がしようとしていることが適切かどうかを判断するうえで、「感情というナビゲーションシステム」を活用することができる。あなたがたは物質世界の「存在」であり、物質世界の者としての自分を知っているが、もっと広い視野から見た自分自身を知っている者はあまりいない。物質世界の自分は重要だし素晴らしい存在だが、同時にそれはもっと広くて大きくて賢くて、しかもはるかに古いあなたの延長部分でもある。その「内なるあなた」がこの身体に焦点を結んで生まれ出ようと決意したのは、もっと広くて大きな「内なる自分」に今回の人生経験を追加したいと思ったからだ。

過去生を覚えていない理由

この世界に来る前に、あなたがたは過去生の記憶は——混乱、動揺、妨げのもとになる記憶は——持ち込まないが、しかし自分のなかにある種の感覚、「指針」を保持することを決めた。また、その「指針」は感情という形をとること、そしてどう感じるかという形で現れることも決められた。あなたがたがある思考を送信しているときには、「内なる存在」が思考を通じて同時に反応することはできない。だから「内なる存在」はあなたがたが感じたり、話したり、行動していることの適切性をもっと広く大きな意図に照らして判断できるように、感情を提示することになった。

あなたが何かを欲しいと明確に意図したとき、「内なる存在」はその対象のすべてを分析する。だから自分の意志を意図的に差し示せば差し示すほど、「わたしは欲し、意図し、期待する」とはっきりと意識すればするほど、「内なる存在」はその対象のすべてを分析して、より明確で具体的で適切な「指針」を与えることができる。

物質世界の存在の多くは、自分で自分の経験を創造していることを理解していないから、「明確な意図」を持たない。やってくるものをただ受け入れるだけで、自分がそれを引き寄せていることがわからない。しかし、それでは自分が被害者だと感じるので、「許容し可能にすること」が難しくなる。自分は傷つきやすいと感じる。何がやってくるかコントロールできないから、やってくるものから自分を守らなくてはならないと感じる。自分が招き寄せていることがわかっていない。だからこそ、自分自身、あるいは他人の欲求の実現を「許容し可能にする」場所に到達する前に、どうして自分がそうなるかを理解することが不可欠だ、とわたしたちは言っている。

レイプに影響されないためには？

ジェリー　もう一つ気になるのが、モラルと性的な習慣の関係なんです。わたしはもう、他人が自分の好みで性的な選択をすることを「許容」できますが、でもどんな場合でも誰かが誰かに力ずくで強制するというのには、嫌な気持ちになります。そこで、他人が何をしようとも、力ずくであってもなくても、わたしの思考が影響されないということはあり得ますか？

エイブラハム　どんなことにも被害者はない、ということを理解することが大切だ。あるのは共同創造者だけだから。

あなたがたはみな、磁石のように思考の対象を引き寄せる。だから、レイプについて特に考えたり、話したりすれば、自分自身の言葉によってそのような体験の「被害者」になる可能性は大きい。**なぜなら、「法則」によって思考を向けたもののエッセンスが招き寄せられてくるから。**

思考を向けて感情がわき起これば創造が始まり、次にその実現を「期待」すればその対象が経験になる。だから創造が始まっても方程式の半分で止まり、経験として受け取らないという人は多い。彼らは思考を向けるし、それは感情的な思考ですらあるかもしれないが、しかし実現を「期待」しないので経験として受け取らない。これは欲することでも欲しないことでも同じだ。

欲しないことには思考を向けない

ホラー映画を見に行って、音や画像で生々しい鮮烈な思考を刺激されるという例について以前話した。思考を、それも普通は激しい感情を伴って向けることで創造のシナリオが開始されるが、しかし映画館を出れば、「あれはただの映画だ、自分に起こるわけがない」と思う。だから「期待」の部分は完了しない。

注意すればわかるが、あなたがたの社会でも、どんなことでも話題になればなるほど、大衆の「期待」は大きくなる。同じように、個人でも期待が大きくなればなるほど、それが引き寄せられてくる可能性は大きくなる。

自分が欲しないことには思考を向けないこと、そうすれば経験することはない。欲しないことについて語らないこと、そうすれば経験に招き寄せることはない。それが理解できれば、誰かが自分で欲しない体験をしているのを見ても、ネガティブな感情に押し流されることはなくなる。その人たちはすべてがどのようにして起こるのかを理解するプロセスにある、とわかるからだ。

さて、誰かがレイプされたり、盗みや殺人の被害にあったりするのを見て楽しいと感じる人は誰もいない。それらは楽しい経験ではない。だが、どうしてそのような出来事が自分の経験に招き寄せられてくるのかを理解すれば、もうそのようなことに思考を向けはしないだろう。**そうすれば、そのような出来事を「見る」ことすらもなくなる。**

あなたがたは思考を向けたことを経験に招き寄せる。ところがテレビが混乱の元になる。あなたがたは楽しもうとしてテレビをつけるが、ニュースキャスターはいきなり恐ろしいことが起こったと語りかける。だが――何をしていようとも――自分が欲するものだけを見ようと決意していたら、そのようなニュースが報道される前にテレビから目をそむけるようになるだろう。

わたしは今、未来への道を敷いている

新聞や雑誌を読んでいてネガティブな感情が起こりかけたら、すぐに読むのをやめたほうがいい。そうしないと「引き寄せの法則」によってますます同じようなことが引き寄せ

られてきて、ますますネガティブな感情になる。だが、それ以上にこの瞬間、自分が欲するものだけを引き寄せようと決意していれば、道が敷かれていくので、将来は行動にそれほど気をつけなくてもよくなる。テレビに引き寄せられることもないだろう。新聞に引き寄せられることもないだろう。その代わりに「引き寄せの法則」によって自分が意図したとおりのことに引き寄せられていくだろう。

あなたがたの多くがついつい何かに引き寄せられていくのは、意図をはっきりと持たないからだ。自分が何を欲するかをたびたび明言しないから、いろいろなものが引き寄せられてくる。自分が欲することを明確にすればするほど、道がしっかりと敷かれるので、欲しないことを経験から排除する努力をしなくても済む。例えばテレビに不意打ちをくらうことはなくなるし、悪人に略奪されることもない。宇宙はそれとは違った経験に向けて道を敷いてくれる。

罪もない子どもへの暴力は？

ジェリー　多くの人はあなたがたがおっしゃる思考を通じた創造ということを受け入れられると思うんですが、「でも罪もない子どものことを考えると、どうしても引っかかるというか、受け入れるのが難しい」と言う人もたくさんいます。そういう人たちは、「それでは幼い子どもはどうなんですか？　肉体的な欠陥や病気、身体や精神を暴力的に踏みにじられる経験などを引き寄せるようなことを、どうして幼い子どもが考えるでしょうか？」と、聞きたがると思うんです。

エイブラハム　それは赤ん坊がそういう考えを持つ人に囲まれていて、そういう考え（のエッセンス）を受け取っているからだよ。

ジェリー　テレパシーみたいなものですか？

エイブラハム　そのとおり。子どもは話し出すよりずっと前から考えている。だが、まだ言葉で意志を伝えられないから、あなたがたは幼い子どもの思考がどれほど明確かわからない。子どもはまだ思考を伝えられない。

ジェリー　子どもは言葉で考えているんではありませんね。つまり、話し出すよりずっと前に子どもが考えていることは、感じでわかります。

エイブラハム　子どもは生まれたその日から波動として考え、波動として思考を受け取っている。だから親の信念が簡単に親から子へ、親から子へと伝わっていく。あなたがたが言葉にしなくても、子どもはあなたがたの恐怖や信念を波動として受け取っている。子どもにとっていちばんためになることをしてやりたかったら、あなたが望ましいことだけを考えてその思考を伝えれば、子どもは望ましい思考だけを受け取るだろう。

人は取り決めを守るべきではないか？

ジェリー　エイブラハム、「許容し可能にすること」についてなんですが、今でもときどき、古い言い方を思い出すことがあります。人には好きなように両腕を振り回す権利があるが（これは「許容し可能にすること」ですよね）、ただしわたしが両腕を振り回す権利を阻害せず、また腕がわたしの鼻に当たったりしない範囲で、という言葉です。

言い換えれば、自分が生きていくなかで、ほかの人たちが好きなように生きて、行動して、所有することを許容するわけですが、それがビジネスなどで事前に取り決めておいたことに違反する場合、少なくとも以前の取り決めを守ってくれとか責任を果たしてくれと要求しないでいるのは難しいですよね。

エイブラハム　他人があなたの経験に介入するとか、振り回した腕があなたの鼻にぶつかるのではないか、と心配しているうちは、あなたはまだ自分の経験が自分に起こるのはどうしてか、ということを理解していない。今日からでも自分が欲することだけを考え始めれば、自分が欲することだけが引き寄せられてくる。あなたがそういう質問をするのは、昨日あるいは過去のいつのときか、そのことを理解していなかったから――あなた自身の思考を通じて――腕を振り回してあなたの顔にぶつけるような人物を招き入れたためだ。だから、今この瞬間、「これについてどうすればいいんだ？」と尋ねている。

あなたの経験のなかに不愉快なやり方で腕を振り回す人物がいたら、関心を向けなければその相手は消え去り、代わりにあなたにとって心地よい人、あなたと調和する人が現れるだろう。だが普通は彼らが腕を振り回し、あなたの気に入らないことをすると、あなたはそれに関心を向ける。怒ったり、動揺したりする。それで「引き寄せの法則」によってその事柄のエッセンスがますます引き寄せられてきて、あなたは間もなく同じような体験をもっとたくさんすることになる。二度、三度、あるいはもっと多いかもしれない。心地よくないことには関心を向けず、心地よいことに関心を向ければ、力の方向、勢いが変わる。もちろんすぐにではないが、しかし変化は起こり始める。

これから30日間、毎朝、こう考えてごらん。「今日、誰と仕事をしようと、誰と話そうと、どこにいようと、何をしようと……自分が欲することだけを見たい。欲することだけを見よう。欲することだけが見えると期待しよう。そうすれば人生経験の力の方向、勢いが変化するだろう。そして今、心地よくないと感じている経験はすべて消えて、心地よい体験と入れ替わるだろう。これは絶対だ。『法則』なのだ」

振り子はもう後戻りしない

わたしたちが見えない世界の視野、あなたがたが物質世界の身体に宿る前にいた世界の視野に立って、あなたがたは「許容し可能にする者」になり、「許容し可能にする術」を理解しようという意図を持っていた、というのは、実際にそのとおりだからだ。あなたがたに理解してもらいたいのは、あなたがたがその意図したことを完了することは決してない、ということだ。あなたがたは設計され、創られて完了するテーブルとは違う。あなたがたは常に成り行く状態にある。あなたがたは永遠に成長のプロセスにある。だが、あなたがたは常に今この瞬間のあなたがたである。

あなたがたがなんとか「宇宙の法則」を理解したいと願うのは、その法則と一体になりたいからだ。自分の経験がどうして起こるのかを理解したがるのは、自分を被害者と感じたくないし、腕を振り回す他人の気まぐれに左右されたくないからだ。

二つの世界があり、その中間に自分がいるように感じる間は、このことを理解するのは難しい。その二つの世界とは、わたしたちがここで話していることを理解する前に創造した世界と、そのことが以前よりはっきりと理解できた今、創造しつつある世界の二つだ。だから過去に道を敷いた、あるいは考えた結果として起こっている経験の一部は、今あなたが欲することとうまくかみ合わないだろう。この移行期には心地よくないことも起こるだろうが、自分が欲することがはっきりと明確になれば、そういうことはどんどん少なくなっていく。過去の勢いの残滓の多くは、今あなたの経験から取り除かれつつある。

あなたが自分がしていること、考えていること、話すことについて前向きの感情だけを抱いていれば、自分自身を「許容し可能にする者」になる。他人の経験について見るときにも前向きの感情だけを抱いていれば、あなたは他人を「許容し可能にする者」になる。簡単なことだ……だから、自分についてネガティブな感情を抱いていたら、決して自分自身を「許容し可能にする」状態にはなれない。

「許容し可能にする者」だということは前向きの感情でいることだ。そのためには関心を向ける対象をコントロールしなければならない。これは世界のすべての物事、すべての人が自分の望みどおりになるという意味ではない。宇宙から、あなたがたの世界から、友達から、自分と調和するものだけを見て、迎え入れ、ほかの部分には目を向けない――したがって、ほかの部分はあなたの元へは引き寄せられてこないし、招き寄せられてこない――という意味だ。それが「許容し可能にする」ということだよ。

そこで友よ、言っておこう。「許容し可能にすること」は、はるかに続く現在のなかで達成することができる最も輝かしい在り方だ。いったん「許容し可能にする者」になれば、あとはひたすら上昇のスパイラルが続く。もうバランスを崩してあなたを引き下ろすネガティブな感情はない。もう、振り子は後戻りしない。あなたは永遠に、輝かしい前進、上昇を続ける！

Part 5

節目ごとの意図確認

ジェリー　エイブラハム、わたしの感じでは、「引き寄せの法則」「意図的な創造の方法論」「許容し可能にする術」の組み合わせ……それに次に話していただく「節目ごとの意図確認プロセス」が合わされば、物事を引き起こすための総合的な処方箋が完成するように思います。そこで「節目ごとの意図確認プロセス」について話してくださいませんか？

エイブラハム　自分の経験の創造者は自分だということが理解できれば、自分の欲求をもっと明確にし、それを経験のなかで実現させたいと思うだろう。立ち止まって自分が本当に欲していることをはっきりさせなければ、「意図的な創造」は不可能だから。

あなたがたは人生経験の各節目で同じことを望んでいるわけではない。それどころか一日のうちにもたくさんの節目があり、たくさんの異なった意図がある。だからこの「節目ごとの意図確認」の勧めによって、あなたがたが一日のうちに何度も立ち止まって、自分がいちばん欲しているのは何かを明確にし、それによってさらに欲求を強調してパワーを与えることがいかに大事かということをわからせてあげたい。

今日の経験といっても、今日考えたことだけの結果は、実はほとんどない。だが節目節目で立ち止まって、その節目で自分が欲しているのは何かを確認すれば、その思考が将来似たような節目を迎えるときの経験に道を開く始まりになる。

例えば、あなたが一人で自動車に乗る。連れはいないから、誰かとコミュニケーションしようとか、人の話を明確に聞こうということは、この節目の重要な意図にはならない。だが安全で快適なドライブをして元気に時間どおりに目的地に着こう、ということは、ある地点からある地点に移動するという節目にぴったりの意図だろう。この運転という節目に入るときの意図確認は今回の節目だけに影響するのではなく、将来への道を敷くことになるから、今後自動車に乗るときには既に道が敷かれていて、あなたの望むとおりの状況や出来事が創造されることになる。

初めは、節目ごとに欲することは何かと意図確認をしても、過去に提示した思考の勢いがまだ残っているかもしれない。だが節目ごとに自分の欲求を確認していけば、そのうち望みどおりの道が敷かれていく。そうなれば、たいして努力しなくても自分の望むとおりのことが起こるだろう。

技術的には、あなたがたの創造力はすべて今この瞬間にある。だが、創造力はこの瞬間だけでなく未来に向かっても放出される。だからたびたび立ち止まって、この節目で何を望むかを確認していくと、未来の道はより広く明確になり、さらに素晴らしくなる。それにあなたの思考の力や勢いもどんどん向上する。

この話をするのは、人生経験を絶対確実に意図的にコントロールしたいと思う人に、直ちに基本的な「宇宙の法則」を応用する実践的プロセスを教えてあげたいからだ。人によっては、これはまったくの誇張に聞こえるかもしれない。ほとんどの人は人生経験をコントロールできると思っていないからだが、それが可能であることを知ってほしいとわたしたちは思う。

この物質世界の身体に宿るあなたがたがどのようにしてすべてを引き寄せているかを、特に理解してもらいたい。そしてあなたがたが思考を通じて招き寄せなければ、何事もやってきはしないことを理解してもらいたい。その手伝いをするためにわたしたちはやってきた。あなたがたが自分の人生経験を見つめ、自分が話すことと考えることと自分の身に起こることには絶対的な相関関係があることがわかってくれれば、自分が招き手、引き寄せ手であること、自分が物質世界の経験の創造者であることがはっきり理解できるだろう。

気が散りやすい現代社会

あなたがたは素晴らしい時に生きている。技術が高度に進歩した社会では、思考は世界中の刺激にアクセスできる。この情報へのアクセスは成長、拡大のチャンスを与えてくれるから、あなたがたにとって大きな利益だ。しかし同時に、とんでもない混乱の原因にもなり得る。

狭い範囲に焦点を絞る力によって物事はより明確になるが、一時に多数のことに焦点を定める力は往々にして混乱をもたらす。あなたがたには受容力がある。あなたがたの思考のプロセスは非常に速く、一つのことだけを考えれば、「引き寄せの法則」によってますますその思考が明確になり、やがては文字どおり思いがすべてかなうようになる。だが、あなたがたの社会には思考への刺激が満ち満ちているので、はるか遠くまで前進するのに十分なほど長い時間、一つのことに焦点を定め続けられる人はごく少ない。あなたがたのほとんどは気が散りすぎて、どんな思考もそれなりに偉大なレベルにまで発展する機会がない。

「節目ごとの意図確認」の目的と価値

「節目ごとの意図確認」は、今この瞬間に特に望むことを意識し明らかにするプロセスである。これは人生経験の総体とみなされる混乱状態のなかから、特定の瞬間に自分が最も望むことは何かを意識することで可能になる。立ち止まって自分の意図は何かと考えることで宇宙から壮大な力が引き出され、その力のすべてが、あなたが今いる具体的な瞬間に集中的に注がれる。

自分の思考を磁石だと考えなさい(実際には、あなたがたの宇宙にあるすべてに磁力があり、それ自身に似たものを引き寄せている)。だから、あなたがほんの小さなネガティブな思考をもてあそび、そこに焦点を定めれば、必ず「引き寄せの法則」によってその思考は大きくなる。特別に失望していたり悲しんでいたりすれば、同じような思いの人が引き寄せられてくるだろう。あなたの「感じ方」が「引き寄せの作用点」になるからだ。だから、不幸な気持ちでいるともっとたくさんの不幸が引き寄せられてくる。心地よい気分でいれば、ますます心地よいことが引き寄せられてくる。

あなたがたはつきあう他人を自分の経験のなかに引き寄せ、招き寄せている。同じ交通機関に乗り合わせる人たち、買い物をしているときにかかわる人たち、散歩しているときに出会う人たち、その人たちとの議論のテーマ、レストランでテーブルに着くウェイター、ウェイターの態度、あなたの経験のなかに流れ込んでくるお金、あなたの身体がどんなふうに見え、どんなふうに感じられるか、デートの相手、挙げればきりがないが、要するに人生経験のすべて――これらはみな、今この瞬間のあなたの力を理解する貴重な手がかりになる。「節目ごとの意図確認」プロセスで大事なのは、人生のこの節目で自分にとって最も重要なことは何かを明らかにして、経験したいと思うことに意識的に思考を向けることだ。

わたしたちが、「あなたがたは自分の経験の創造者だ、あなたがた自身が招き寄せたものでない経験は何一つない」と言うと、反論する人たちがいる。なぜ反論するかといえば、人生で好ましくない体験をしている人が大勢いるからだ。だからあなたがたは言う。「エイブラハム、わたしは自分から好ましくないことを創造したりはしません」。そのとおり、意図してそんな創造はしないだろう。その点には賛成するが、しかし、自分が創造したのではないというのには賛成できない。あなたがたの身に起こることはすべて、あなたがたの思考を通じて――また思考によってのみ――起こっている。しかし、自分の経験の創造者は自分だということを受け入れない限り、ここで話されることにはなんの価値も見いだせないだろう。

「引き寄せの法則」はあなたがたが意識してもしなくても、あなたがたに作用している。そして「節目ごとの意図確認」は、自分の思考の力をより明確に認識するうえで役立つだろう。なぜなら「節目ごとの意図確認」を意識して実行すればするほど、人生経験の詳細な部分にあなたがたの意図が反映されるからだ。

思考への刺激が多すぎるメディア社会

あなたがたは思考への刺激が多い社会に暮らしているから、その刺激をオープンに受け入れていると、ますます多くの思考を引き寄せることになる。あなたがたが対処する時間もなく、また対処したいとも思わないほどたくさんの状況や出来事や人々が襲来するだろう。

メディアに1時間触れているだけでとんでもない刺激を受ける。すっかり圧倒されてしまい、完全にメディアから自分を切り離し、すべてに対して自分を閉ざしてしまう人がいるのも不思議ではない。あまりに多くの刺激が短時間にやってくるからだ。

そこで「節目ごとの意図確認プロセス」が問題の解決策になる。ここに書かれている言葉を読んでいるうちに、混乱は消えて絶対的な明晰さが現れるだろう。コントロール不能だという気持ちはなくなり、コントロール可能だと思えるだろう。そして多くの人にとっては、よどんだ停滞した気分がなくなって、生き生きと輝かしく前進しているという感覚が生まれるだろう。

混乱が起こるのは一時にあまりに多くのことを考えるからで、一つの思考に絞れば明晰でいられる。そしてどの思考にも「引き寄せの法則」が作用する。一つの思考を提示すれば、「引き寄せの法則」が直ちに働いて、その思考にさらに多くの刺激が与えられる。思考から思考へ、思考から思考へと飛び移れば、「引き寄せの法則」によって、それぞれの思考にますます多くの思考が与えられる。だから、あなたがたは圧倒されてしまう。「引き寄せの法則」によってとんでもなく大量の情報が集まってくるからだ。

情報はあなたがたの過去からやってくることも多いし、近しい人たちからやってくることも多い。結果はいつでも同じだ。あなたがたはあまりに多くのことを考えて、どの方向にも進めない――もちろん、結果として苛立ちや混乱に襲われる。

混乱から明晰さへ、そして意図的な創造へ

いちばん優先して考えたい事柄を選べば、「法則」つまり「宇宙」がその特定の思考に

関する思考や情報をさらにたくさん与えてくれる。あちこちから――対立したりぶつかりあったりする方向からも――やたらに思考がやってくるのではなく、最初に提示した思考に調和した思考や出来事が訪れるだろう。だから、明晰で曇りのない気持ちになれるし、もっと大事なことに、自分の創造が前進していることが理解できる。**同時にたくさんのことを考えていると、焦点の定めどころも力も拡散してしまう。だが、その瞬間に最も重要なことに焦点を定めていれば、力強く前進できる。**

一日を節目ごとに分けて意図確認する

今あなたがいる時点、今あなたが意識的にものを思っている時点、それが一つの節目だ。一日は多くの節目に分けられるし、まったく同じ節目にいる人は誰もいない。また一日の節目はどれも違っていて、どれも素晴らしい。この節目を硬直的なスケジュールにする必要はない。重要なのはある節目から別の節目に移るときに意識すること、そしてある意図から別の意図に移るのを確認することだ。

例えば朝、目が覚めたとき、あなたは一つの節目に入る。目覚めたあとベッドから出るまでの時間、それが一つの節目だ。次の活動の準備をしている時間。それも一つの節目だ。

マイカーに乗り込む。それも一つの節目。こんなふうに続く。

自分が新しい節目に移ると気づいたとき、一瞬立ち止まり、はっきりと声に出して、あるいは心のなかで、次の節目で自分がいちばん望むことを確認すれば、「引き寄せの法則」によって自分の意図に調和する思考や状況や出来事、あるいは会話や他人の行動が引き寄せられてくるだろう。

新しい節目に入るときには立ち止まってそのことを認識し、さらにはその節目で何が最大の意図かを確認すれば、他人の影響に振り回されたり、自分自身のあまり意図的でない思考習慣に振り回されて混乱することはなくなる。

わたしは多くのレベルで行動し、創造している

あなたがたは人生経験のすべての節目で、たくさんのレベルで行動している。ある節目であなたがしていることがある（行為は強力な創造だ）。ある節目であなたが話していることがある（言葉を発することは強力な創造だ）。それにある節目であなたが考えていることがある（思考は強力な創造だ）。さらに各節目であなたは現在起こっていることを思い、過去に既に起こったことを思い、未来に起こりそうなことを思っているかもしれない。

未来に何か望むことを考えているとき、あなたは未来に望むことのエッセンスを引き寄せ始めている。だがまだ準備ができていないから、今は実現はしないだろう。しかし、前進の動きは始まる。そしてあなたが未来に向かって進むにつれて、あなたが思考を向けた出来事や状況も未来に向かって進んでいく。

今日の思考が未来を準備する

これは「道を敷く」とわたしたちが言うプロセスだ。現在にいるあなたが未来に思考を向ければ、あなたがその未来に達したとき、未来には既に道が敷かれている。あるいは自分のための準備が整っている。だから、あなたが今日経験することの多くは、昨日あるいは一昨日あるいは1年前、さらにはその前……にあなたが今日について考えた結果だということになる。

未来に望むことに向けられた思考はすべて、あなたにとって大きなプラスになる。未来に望まないことに向けられた思考はすべて、あなたにとって大きなマイナスになる。

「節目ごとの意図確認」は、今のあなたについて考えていても、未来のあなたについて考えていても役に立つ。どちらの場合もあなたは意識して創造を行うだろう。それが「節目ごとの意図確認プロセス」の要点だ。この瞬間に特に何をしようとか言おうという意図であっても、あるいは未来への道を敷くのであっても、目的意識を持って行うところに大きな価値がある。

自動車に乗るとき、安全なドライブという意図を確認すれば、文字どおり安全なドライブができる状況を引き寄せるだろう。もちろん、これまでもドライブのたびに安全運転の意図を確認していれば——過去に未来を思って安全を望み、期待していれば、これまでに提示されたその意図があなたの未来への道を敷いているから、今の「節目ごとの意図確認」が加わって——意図はさらに強化される。

人生の準備を整えるか、惰性で生きるか？

未来への道を敷かず、今の節目の意図確認もせずにいれば、惰性のままで生きることになり、混乱してわけがわからなくなったり、誰かの意図に左右されたりする可能性がある。

別の自動車に乗っている二人が同じ時刻に同じ地点を通りかかり、衝突事故を体験する。その二人は安全という意図を持っていなかった。彼らは惰性で生きており、混乱のままにお互いを引き寄せあったのだ。わかるかな。

自分はこれを望むと意識し、その対象を受け取ることを期待すれば、そのとおりになるだろう。だがきちんと時間をとって欲求を確認しなければ、他人の影響や自分自身の古い習慣の影響によってあらゆることを引き寄せるし、そのなかには望むことも望まないこともある。確かに偶然あるいは惰性で引き寄せたことのなかにも、好ましくないことがあるのと同様に好ましいこともあるだろうが、しかし、惰性によって引き寄せても、たいした満足は感じないはずだ。人生の真の喜びは「意図的な創造」にある。

感じているとおりのことを引き寄せる

そこで「意図的な創造」の鍵はこういうことだ。自分はどの時点でも自分が感じているとおりのことを引き寄せる磁石だと考えなさい。すっきりしていてきちんとコントロールできていると感じていれば、すっきりした環境を引き寄せる。幸せだと感じていれば、幸せな環境を引き寄せる。健康だと感じていれば、健康な環境を引き寄せる。豊かだと感じていれば、豊かな環境を引き寄せる。愛されていると感じていれば、愛情豊かな環境を引き寄せる。**文字どおり感じ方が「引き寄せの作用点」になる。**だから「節目ごとの意図確認」の価値は、一日のうちに何度も立ち止まり、この人生の節目に自分が望むのはこういうことだ、と明らかにするところにある。わたしはこれを望み、期待する、と明確にする。こうして力強い言葉として提示するとき、あなたは「選択的な軌道修正」をして、自分が望むことを経験のなかに引き寄せるだろう。

宇宙には——あなたが生きているこの世界には——あらゆる物事が満ちあふれていて、あなたにとってとても好ましいものもあれば、あまり好ましくないものもある。だが、あなたが経験するすべては思考を通じてあなたが招き寄せている。だから一日のうちに何度も時間をとって、自分が望むことを確認し、欲求と期待を言葉にして提示すれば、磁石のように自分の経験をコントロールできるだろう。もう「被害者（本当はそんなものはない）」ではなくなるし、経験をいい加減に引き寄せたり、惰性で引き寄せたりはしなくなるだろう。一日を節目に分けて何度も自分の欲求を確認すれば、あなたは「意図的に経験を引き寄せる」ことになる。それはとても楽しい体験だ。

今、わたしが望むものは？

「節目ごとの意図確認」が非常に効果的なのは、考えられることはたくさんあるので、一度にすべてのことを考えようとすると圧倒されて混乱してしまうからだ。「節目ごとの意図確認」の価値は、少ないことに焦点を絞れば「引き寄せの法則」がより強力に働くところにある。そうすれば疑念や不安、欠乏の意識といった矛盾した思考で物事を混乱させることも少なくなるだろう。

例えば電話が鳴り、あなたは受話器を取り上げて応答する。そして相手が誰なのかわかったところで、「おはようございます。ちょっと待っていただけますか」と断り、自分自身に尋ねる。「この相手との会話で自分がいちばん達成したいことはなんだろうか？　相手を元気づけたい。理解したい。相手にわたしを理解させ、わたしの欲求の方向によって相手によい影響を与えたい。わたしの言葉で相手に刺激を与え、活気づけたい。そうだ、わたしはこの会話を成功させたい」そう確認してから電話に戻れば、あなたは道を敷いたことになる。そうすれば意図確認をしなかった場合に比べて、相手はあなたの欲求に合った対応をするだろう。

電話がかかったときには、かけた相手は自分が何を欲しているかを知っている。だから、あなたも時間をとって自分の欲求を確認しなくてはいけない。そうしないと、相手は影響力を行使して欲求を達成しても、あなたのほうはそうはいかないかもしれない。

同時にたくさんのことを望むと混乱が増す。その時点でいちばん大事なことに焦点を絞れば明晰さと力とスピードが得られる。それが「節目ごとの意図確認」の要点だ。新しい節目に入るときには立ち止まり、いちばん望むことは何かを確認して、そこに関心を向ければ、力もそこに集中する。

一日の経験のいくつかの節目に焦点を定める人はいるが、一日の大部分の節目にきちんと焦点を定めている人はあまりいない。だからほとんどの人は節目を確認し、その節目で何がいちばん重要かを意識すれば、一日の節目のそれぞれで、意図的に磁力を操作し引き寄せる創造者になれるだろう。そうすればもっと生産的になれるだけでなく、もっと幸せになる。意図を意識して確認し、次に実現を「許容し可能に」して受け取ることができれば、大きな満足が得られるからだ。

あなたがたは成長を求める存在であり、前進しているときがいちばん幸せだ。停滞感を覚えているときは幸せではない。

「節目ごとの意図確認」……ある一日の例

一日のなかで新しい節目を認識するだけではなく、各節目で自分の意図を確認するとはどういうことか、例を挙げてみよう。

このプロセスを一日の終わり、眠りに就く前から始めるとする。眠りの状態に入るというのも経験の新しい節目であることを認識しよう。そこで横たわって枕に頭を載せ、眠りに就く準備をするとき、その節目の意図を確認する。「わたしは身体を完璧に休めたいと思う。十分に休養して新鮮な気持ちで目覚め、また元気よく一日を始めようというのがわたしの意図だ」

翌朝、あなたは目を開き、また経験の新しい節目に入ったと認識する。目覚めたあとベッドから出るまでが一つの節目になる。その節目の意図を確認しよう。「こうしてベッドに横たわって、わたしはこれからの一日をはっきりと描きたいと思う。意気揚々と胸を弾ませて一日を始めたい。そう確認すれば、ベッドから起き上がるころには今日一日に対する新鮮な期待がわくだろう」

ベッドから出て、あなたは経験の新しい節目に入る。この節目では今日一日の準備をするかもしれない。歯を磨き、シャワーを浴びる節目に入ったとき、何を求めるかという意図を確認しよう。「わたしは自分が素晴らしい身体を持っていることを認識し、その優れた働きに感謝しよう。自分なりに最高に見えるように、要領よく身だしなみを整えよう」

朝食の準備にかかるとき、この節目に対する意図は次のようになるだろう。「わたしは栄養豊かでおいしい食事を効率よく選んで準備しよう。それからリラックスして楽しく食事し、素晴らしい身体で食べ物を完璧に消化吸収しよう。今の自分の身体にいちばん合った食べ物を選ぼう。この食べ物でエネルギーを補充して元気になろう」。こんなふうに意図を確認すれば、食事によって活力が満ち、エネルギーが補充されて元気になるのを感じるだろう。それに意図を確認しない場合よりも、もっと食事を楽しめるだろう。

自動車に乗って目的地に出発するときには、この節目に対する意図は無事に目的地に到着すること、ドライブしている間、元気よく幸せな気分でいること、ほかのドライバーが何を意図し何を意図していないかを察知して、快適に——安全に効率よく——移動することだと確認しよう。

自動車から降りると、また新しい節目に入る。そこで立ち止まり、今いるところから目的地に向かって歩く自分を想像しよう。自分が心地よく歩いているところを思い描こう。効率的に安全に次の場所に移動したいという意図を確認しよう。深呼吸して身体の活力を感じ、頭脳が明晰に働いていることを意識して感じ取ろう。これから次の節目に入る自分のビジョンあるいは意図をはっきりさせよう。スタッフや雇い主に挨拶している自分を想像しよう。人々を元気づけている自分、いつも微笑んでいる自分を思い描こう。自分が会う相手は誰も自分の意図を確認していないことを認識し、自分は意識し意図的になることで人生経験をコントロールしていること、人々の混乱に巻き込まれたり、他人の意図や影響で右往左往したりしないことをわきまえていよう。

一日を通じて「節目ごとの意図確認」をしていると、自分の意図が確立していく力強さと勢いを感じ、自分は輝かしい存在で怖いものは何もないと感じるだろう。そして二度、三度と自分の人生経験を創造的にコントロールしていることを感じれば、自分はなんにでもなれるし、なんでもできるし、なんでも手に入ると思えるだろう。

「節目ごとの意図確認」のためのメモ帳を用意

もちろん、あなたの節目は今言ったのとは違うかもしれないし、日によっても違うだろう。だが数日もすれば、新しい節目を意識し、そこで自分がいちばん望むことを確認するのはとても簡単だと気づくだろうし、まもなく一日の各節目にはっきりとよい結果を期待できるようになるだろう。

人によってはメモ帳を持ち歩いて、節目を意識するごとに実際に立ち止まって記入してリストを作るのが効果的、効率的だと思うかもしれない。何かを書き留めるのは焦点を定めるいい方法だから、「節目ごとの意図確認プロセス」を始めるにあたって、メモ帳はとても役に立つかもしれない。

さて「節目ごとの意図確認」について何か質問があるかな?

ジェリー　エイブラハム、「節目ごとの意図確認」は「引き寄せの法則」「意図的な創造の方法論」「許容し可能にする術」を即座に実践的に応用するための理想的なやり方だとわたしは思います。言い換えれば、あなたがたがわかりやすく教えてくださったこれらの法則をはっきり認識し、「節目ごとの意図確認」と組み合わせれば、自分の思考が経験の実現に影響していることがすぐに発見できると思うのです。

わたしは「節目ごとの意図確認」を、すぐに実現を意識し体験できる小さな目標(あるいは意図)の連続と同じものではないかと考えていました。そこで次の疑問が浮かぶのですが、この物質世界の人生で完成すべき基本的全体的な目標(あるいは意図)というものがあるのでしょうか?

エイブラハム　あるよ。そして「節目ごとの意図確認」が今生きているこの瞬間に最も近い意図であるとすれば、あなたが物質世界に生まれ出るときの意図は、いわばその対極にある。言い換えると、今ここであなたはこの瞬間に最も望むことを確認するが、この瞬間はこの物質世界の身体として誕生する前にこの瞬間について抱いていた思考に影響されている。もっと広い内面的な視野の世界から離れて物質世界の身体として生まれ出るとき、あなたがたは確かにある意図を抱いていた。だが今は、この物質世界における意識的な視野から生まれる意図が最優先される。

あなたがたは過去の意図に操られる人形ではない。あなたがたには毎瞬、選択肢が与えられている。常に進化し続ける存在として、何が最も適切かを判断するための選択肢だ。あなたがたは物質世界の身体に宿ったときの自分を超えて成長してきた――既に今回の人生経験が誕生前に抱いていた視野に付け加えられている。

「幸せになりたい」というのは重要な目標か?

ジェリー　すると生まれ出るときの具体的な、個別の、あるいは全体的な目標がなんなのか、わたしたちにはわからないわけですが、ただ幸せになりたいという目標以上に重要な目標がありますか?

エイブラハム　あなたは今、内なる視野から生まれ出たときに何を意図していたのかを知る方法を言い当てた。「生まれ出るときの具体的な、個別の、あるいは全体的な目標がなんなのか、わたしたちにはわからない」と言ったね。具体的な目標がわからないのはなぜかと言えば、具体的な目標などないからだ。あなたがたは物質世界に生まれ出る前に、幸せになりたい、人を元気づけたい、成長し続けたいというような、おおまかな意図を抱いていたが、それを実現するための具体的なプロセスあるいは手段は、今ここであなたの決断に任されている。今この瞬間のあなたが創造者だ。

どうすれば自分が成長したとわかるか?

ジェリー　今おっしゃった成長ということを取り上げてみましょう。どうすれば自分が成長したとわかりますか?

エイブラハム　あなたがたは常に成長を求める存在だから、自分が成長したと気づけば明るい前向きの気持ちになる。そして停滞していると感じれば、ネガティブな暗い気持ちになる。だから、あなたがたは内なる広い視野から生まれる思考や意図を必ずしも認識していないかもしれないが、コミュニケーションはきちんととれている。物質世界のすべての存在は感情という形で「内なる存在」とコミュニケーションをしている。前向きの感情になれば、自分が内なる意図と調和していることがわかる。

成功の物差しとは？

ジェリー　それではエイブラハム、見えない世界のあなたがたの視野からすると、わたしたちがこの世界で成功しているかどうかの有効な物差しはなんですか？

エイブラハム　成功の物差しはたくさんある。あなたがたの社会ではドルが成功の物差しだし、トロフィーが成功の物差しだ。しかしわたしたちの視野からすれば、あなたがたのなかに明るい前向きな感情が存在するかどうかが、いちばん立派な成功の物差しだよ。

「節目ごとの意図確認」は目的実現を早めるか？

ジェリー　すると「節目ごとの意図確認」プロセスによって望むことの実現が早まるだけでなく、同時に人生経験がもっと楽しくなり、もっと意識的に経験をコントロールできるようになる（したがって、もっと成功できる）と、そういうことですか？

エイブラハム　確かに意識的に自分の意図を確認すれば、「もっと意識的にコントロールできる」ようになる。そうでなければ、何を望むか決断せず、混乱したまいろいろなものを少しずつ引き寄せてしまう。いろいろなものを少しずつ引き寄せるなかには、自分にとって好ましいものも好ましくないものもあるだろう。「節目ごとの意図確認プロセス」の要点は、常に意図的に欲するものを引き寄せることだ。もう惰性による創造はない。望ましくないものを引き寄せることもない。

そのプロセスが早まるというのも、あなたの言うとおりだ。あなたの意図が明晰であればスピードが速くなる。もちろん、例えば土をある場所から別の場所に運べば（あるいはほかのどんな仕事をしても）物理的な創造はできるが、感情を伴う思考がなければ宇宙の力にはつながらない。感情が存在するとき――それが前向きでもネガティブでも――宇宙の力につながる。

本当に心から何かを望めば、その望みは迅速にかなえられる。本当に心から何かを嫌だと思えば、それも迅速に実現する。「節目ごとの意図確認」というやり方は、自分が何を望むかという思考を示して、この瞬間そこにはっきりと焦点を定め、それに対する感情をわき起こさせることだ。そのように明晰になればスピードが速まる。

瞑想、ワークショップ、そして「節目ごとの意図確認プロセス」の違いは?

ジェリー　いくつかの言葉についてははっきりさせたいのですが。三つの違ったプロセスがありましたね。一つはあなたがたが「節目ごとの意図確認」とおっしゃっていることで、もう一つは「ワークショップ」です。それから、あなたがたはときどき、いわゆる「瞑想」についても触れています。この三つのプロセスの目的はどう違うのかを説明していただけますか?

エイブラハム　三つのプロセスはそれぞれ目的、意図が違う。だから今の質問は「節目ごとの意図確認」という話題にまさにぴったりだ。三つのどのプロセスに入るときでも、なぜそうするのか、そこから何を受け取ることを期待するのかを確認しておくほうがいい。

あなたがたの言う「瞑想」の時間とは、「内なる世界」を感じ取るために意識的な思考のメカニズムを鎮めることを目的とする節目だ。物質世界を超えたことを感じ取れるように、物質世界の刺激を締め出し、気が散らないようにする。物質世界を締め出す理由はいろいろあるから、自分はどんな理由でこの節目に入るのかを確認することが重要だ。あなたが「瞑想」の節目に入る理由は、自分を混乱させて困らせる世界をとにかく締め出したい、ということかもしれない。そのとき、あなたはすっきりして元気を回復したいと願う。わたしたちが「瞑想」を奨励するのは、「内なる次元」に存在する「内なる自分」と物質世界の身体に宿っている意識的、物質的な自分とが交流できる回路を開いてほしいと思っているときだ。**「瞑想」とは意識的、物質的世界から焦点を移して「内なる世界」に焦点を定める方法論なのだ。**

次に「ワークショップのプロセス」では、自分の欲求を細かく具体的かつ正確に考え、そこに「引き寄せの法則」が働いて欲求がさらに明確になることを目的としている。言い換えれば、自分の欲求について具体的に考えることによって、「宇宙」の力を引き寄せ、創造をスピードアップしたい、ということだ。「ワークショップ」では、人生のなかで生じた特定の欲求に自分の思考を向け、それに合わせてこの瞬間の思考を調整する。あなたがたが暮らす物質世界では、まず思考のなかで創り出さなければどんなことも経験できない。だから「ワークショップ」とは自分が何を欲するかを意識的に考え、そこから欲求の**対象を意識的に引き寄せるスタート地点なのだ。**

「節目ごとの意図確認」のプロセスでは、単に自分がさっきまでとは違う節目に入ることを認識し、そこで立ち止まって今度は何を望むのかを確認する。「節目ごとの意図確認」とは、「意図的な創造」に対する大きな障害、つまりあなたとは違った意図を持つ他人や自分自身の古い習慣の影響を取り除くことでもある。

どうすれば幸せな気分になれるか？

ジェリー　あなたがたは以前、何かを意図的に創造しようとする前に、まず幸せを感じなくてはならない、とおっしゃいました。それでは意識的に喜びを感じるには、あるいは明るい前向きな感情をわき起こさせるにはどうすればいいか、教えていただけませんか？

エイブラハム　その前に、幸せでいることにどれほど大きな価値があるかを指摘しておこう。あなたがたは磁石のようなもので、どう感じているかが「引き寄せの作用点」になる。したがって不幸だと感じ、望んでいないものに思考を向けていれば（それが不幸な気分をもたらす）、望まないものがさらに引き寄せられてくる。幸せでいることには非常に大きな価値がある。なぜなら、幸せな気分でいなければ望むものを引き寄せられないだけでなく、それがあなたがたの本来の自然な状態だからだ。もし自分が幸せであることを許容しないいなら、**本来の自分を遠ざけることになる。**

この瞬間、自分が幸せだと気づいたら、その幸せはどこから来たかをきちんと確認しなさい。多くの人はそのときの気分に合った音楽を聞くことで幸せになるだろう。また、ペットのネコをかわいがったり、散歩したり、愛し合ったりすると、あるいは子どもと遊んでいると幸せになるだろう。本を読んでいると幸せだという人もいるだろう。元気な友達を訪ねると幸せな気分になる人もいるはずだ。幸せになる方法はたくさんある。

いつでも違った方法を試して幸せな気分になれるように、**気持ちを明るくするための「コツ」をたくさん持っていることが大切だ。**何が気持ちを明るくしてくれるか、気をつけて覚えておいて、**特に元気になりたいと思ったときには、それを幸せの「コツ」として活用しなさい。**

周りの人が不幸だったら？

ジェリー 「わたしたちはほとんどどんな状況でも幸せになれる」とおっしゃいましたね。でも非常にネガティブな状況を経験している人がそばにいたら、どうやって幸せになれるのでしょう？

エイブラハム　あなたが幸せになれるのは、自分が望むことに思考を向けているときだけだ。だから、自分が望むことにだけ関心を向けるぞという気持ちさえはっきり強く持っていれば、どんな状況でも幸せになれる。

ジェリー　しかし、ときどきはどうしても一緒に過ごさなければならない相手がいて、その人が言ったりしたりすることで嫌な気分になる、こちらは相手が望むとおりになれないとか望むとおりのことができなくて罪悪感を覚え、それでも相手をなんとか喜ばせたいと思う、そんなときはどうすればいいんですか？

エイブラハム　確かに不幸な人に囲まれていて、あるいはあなたが思うのとは違うことを要求する人たちとかかわって、それでも前向きで幸せな気分でいるのはとても難しい。だが、わたしたちがあなたがた物質世界の存在を見ていて気づいたのは、不愉快な経験がほんの5分か10分で終わっても、そのときにネガティブな気持ちになるだけでなく、あとあとまで思い返したり考えたりして嫌な気持ちをひきずる人が多い、ということだ。たいていは実際に起こっているネガティブなことより、前に起こったネガティブなことを考えて嫌な気持ちになっている。

一人でいるときには自分が考えたいと思うことだけに焦点を絞れば、あなたがたのネガティブな感情の大半は消すことができる。それに短時間、困った人と出会ったり、人生のごく一部で実際に他人に嫌がらせをされる経験があっても、嫌な体験にはあまり関心を向けないでいられるようになる。そうすれば嫌な思考はすぐに消えるから、「引き寄せの法則」によって嫌な体験が引き寄せられてくることもない。

思わぬ邪魔が入ったときの「節目ごとの意図確認」は?

ジェリー　それでは、順調に前進していると感じたいと心から願っているとして、でも「思わぬ邪魔」が入ってたびたびその意図を妨げられる場合について教えてください。そんなときは、どんな「節目ごとの意図確認」をしたらいいでしょうか?

エイブラハム　もちろん、あなたがたが上手に「節目ごとの意図確認」ができるようになり、節目ごとの意志が明確になれば、自動的に邪魔は入りにくくなる。邪魔を引き寄せているのは、過去に「節目ごとの意図確認」をしていなかったせいだ。

今日も快調に軽やかに過ごそうと思い描いて一日を始めれば、それで邪魔の一部は取り除かれる。それでも邪魔が入ったら節目ごとに対応し、邪魔されたときに次のように確認すればいい。「これは短時間で終わる。わたしは思考の流れを見失ったりはしない。迅速に効率的に対処して、すぐに自分がしていたことに戻ろう」

「節目ごとの意図確認」で使える時間が増える?

ジェリー　わたしは何年も、「自分が何人もいたら経験したい素晴らしいことがすべて経験できるのに」と思ってきました。「節目ごとの意図確認」によってもっと多くの体験をすることが――したいと思うことをもっとたくさんすることが――できますか?

エイブラハム　「節目ごとの意図確認」がうまくできるようになると、一日のうちでしたいことをする時間が増えるのに気づくはずだ。

したいと思うことの多くが実現しないのは、はっきりと明確にそのことを考えて引き寄せていないからだ。だから、あなたの質問の答えは「節目ごとの意図確認」そのものだ。自分が何を望むかをはっきりさせ、ごたごたした矛盾する考えで邪魔をしたりしなければ、「宇宙の法則」が自然に作用するから、不適切な思考を処理する余計な努力がいらないと感じるだろう。意識して思考を向ければ宇宙の力をうまく利用することができるし、そうすればもっとたくさんのことがもっと少ない時間で実現する。

なぜ、みんなが目的を持った人生を送らないのか？

ジェリー　誰でも自分が本当に望むことを目的を持って創造するか、それとも惰性で創造して望むものも望まないものもごっちゃに受け取るか、どちらかを選ぶことができるのに、どうして多くの人は惰性で創造するほうを選んでいるのでしょう？

エイブラハム　ほとんどの人が惰性で人生経験を創造しているのは、「法則」を理解していないからだ。その人たちは選択肢が与えられていることがわかっていない。運命だの宿命だのを信じている。「これが現実だ。しかたがないのだ」と言う。自分が思考を通じて経験をコントロールしていることがわかっていない。ルールを知らないでゲームをしているようなもので、だからすぐにゲームに飽きてしまう。

自分が特に望むことに意識的に関心を向ける、これはとても大切なことだ。そうでないと、周りの影響に振り回される可能性がある。思考の刺激という爆撃にさらされるのだ。

それに自分にとって重要な思考をしっかりと定めていないと、自分にとって重要か重要でないかわからない他人の思考に刺激されてしまうだろう。

自分が何を望んでいるのかわからなかったら、その意図を確認すればいい。「わたしは自分が何を望んでいるのかを知りたい」と。その欲求をしっかりと確認すれば、データが集まり始める。チャンスが引き寄せられてくる。選択すべきさまざまなことが引き寄せられてくる。そうやって絶え間なくやってくる思考の流れのなかから、自分が特に望むよりよい思考を選び出すことができるだろう。

常に「引き寄せの法則」が働いているから、異なる思考を選ぶより目の前のことをただ眺めているほうが簡単だ。そして目の前のことをただ眺めていると、「引き寄せの法則」によってさらに同じことが引き寄せられてきて、やがては自分にはコントロールできないと思い込む。

多くの人たちは、「自分には選べない」「選べるほど自分には価値がない」「自分には適切な選択ができない」と教えられている。だが慣れてくれば、自分の感じ方で適切な選択かどうかが判断できることがわかるだろう。広い視野に合致した思考の方向を選んだときには喜びがわいて、適切な思考だということを確認してくれるから。

何事にも無関心な人へのアドバイスは？

ジェリー　それでは「自分が何を望んでいるのかを知りたい」とすら言えず、ただ「自分が知っている限りでは、自分は何も望んでいない」とか「欲求を持つことはいけないことだと教えられた」と言う人たち、何事にも無関心でだらけた状態でいる人たちに、何か言うことがおありですか？

エイブラハム　欲求を持たないでいたい——立派な人間であるために——というのも、やはり欲求ではないのか？　欲することは「意図的な創造」の始まりだ。だから、自分が欲求を持つことを許さなければ、人生経験の意図的なコントロールを拒否することになる。

あなたがたは確かに物質世界の存在だが、生命力を持っている。エネルギーの力、神の力、創造するエネルギーが「内なる次元」からあなたがたのなかへ流れ込んでいる。医師たちはそれに気づいているが、実はあまりよくわかっていない。彼らは生命力を持っている人と持っていない人がいることはわかる。だから「この人は死んだ。この人は生命力がある」と言うだろう。創造する生命力は、あなたがたが関心を向けた方向に伸ばした延長部分から流れ込んでくる。言い換えれば、あなたがたが明確にした欲求の対象をあなたがたの思考が呼び寄せる、そのプロセスのことだ。

自分の欲求に思考を向ければ向けるほど、「引き寄せの法則」が強く作用して思考の勢いが強まることがわかるだろう。自分の欲求について考えなければ、あるいは考えても実現していないからとすぐに欠落のほうを考えれば、思考の自然な勢いは阻まれる。

あなたがさっき言った「何事にも無関心でだらけた状態」は、矛盾した言葉で思考の勢いを殺ぎ続けた結果だ。

なぜ、人は多くを望まないか?

ジェリー エイブラハム、わたしたちはほとんどの人が食べ物にも住む家にも衣服にも事欠かない国に住んでいます。ほとんどの人が少なくともなんとか生活できています。ところが「わたしはなんとか暮らしてはいけるが、もっと大きなこと、特別なことを人生で実現するほどの欲求が持てない」と言う人たちがいるのです。そういう人たちには、なんとおっしゃいますか?

エイブラハム それは多くを求めないのではなくて、多くを持てないと思い込んでいるのだ。

だから何かを望んで得られずに失望するのを避けようとする。望むものが得られないのは、望んでいないからではない、望む対象の欠落に焦点を定めているからだ。だから「引き寄せの法則」によって思考の対象（望むものの欠落）が引き寄せられてくるのだ。

何かを望み、そのあとで「だが、前にも望んだが得られなかった」と考えれば、あなたの関心は望むものの欠落に向けられる。だから「法則」によって欠落が引き寄せられてくる。望むもののことを考えれば気分が高揚し、ワクワクして前向きの気持ちになる。だが、望むものの欠落のことを考えればネガティブな気持ちになる。失望を感じる。その失望は「感情というナビゲーションシステム」が「あなたは求めるものに思考を向けていない」と教えてくれているのだ。だから試しに少しだけ望んで、その望むもののことを考え、前向きな気持ちになればいい。そうすれば失望は消える。そして望むものに思考を向ければ、その対象が引き寄せられてくる。

欲求の優先順位とは？

ジェリー　あなたがたが教えてくださったプロセスで、エスターとわたしは大きな成果を得ました。それについてもう少し詳しく話していただけますか？　そのプロセスとは「欲求の優先順位づけ」ということです。

エイブラハム　あなたがたは一度にすべての欲求を抱くわけではないが、今この時点に関連する多くの欲求を持つことがある。例えば配偶者との関係では、明確なコミュニケーションをしたい、自分を元気づけたい、相手を元気づけたい、相手が自分と同じことを望むように影響を与えたい、などと思うだろう。言い換えれば、調和を望むわけだ。

いちばん実現したいのはどの欲求か、それを確認することが重要だ。そうやって優先順位をつけることで、いちばん重要なことに特に関心を向けることができる。特に関心を向ければ、そのいちばん重要な対象に力が引き寄せられてくる。

一日を始めるにあたって、節目を明らかにしていなかったとする。多くの人たちと同じようになんとなく一日が始まり、あれこれと衝動のおもむくまま、また他人の欲求や自分の古い習慣に応じて次々に手を出していく。電話が鳴る。子どもたちがあれこれ要求する。配偶者が何か質問する。あなたはどれについても明確にしないまま、たいていはごく普通に一日が過ぎていく。

さて、あなたが何を望むかを確認しないまま、議論に巻き込まれたとする。子どもか配偶者か別の誰かと意見がぶつかる——相手が誰かは問題ではない。あなたは「内なる存在」

が「警鐘」を鳴らしているのを感じる。いろいろな理由でネガティブな感情がわき起こってくる。自分が意図を明確にしなかったために面倒なことになったと、自分に少々腹が立つが、それよりも相手の意図、相手の言うこと、あるいは相手の要求と衝突したことでもっと動揺している。

その節目で気がついて、「今この状況で自分は何をいちばん望むのか」と自問すれば、「調和を感じること。妻や子どもやその他の相手と仲良くすること」がいちばん大きな欲求だと気づくかもしれない。そのときのもめ事の内容よりも、和やかな関係のほうがはるかに大事だ、ということだ。自分は調和を最も望んでいるのだと確認すれば、あなたの意図は明確になる。ネガティブな感情は消えて、あなたはこんなふうに言うかもしれない。「ちょっと待って、話し合おう。言い争いはしたくない。きみはわたしの親友なのだから。わたしは仲良くしたいんだ。一緒に幸せになりたいんだよ」。あなたがそう言えば、相手も気持ちが穏やかになる。相手もそう思っているのだと気づかせることになる。そうなれば、新たに明確になった――和やかな関係という――優先的な意図を基に、目の前の問題はたいしたことはないと、新たな目で見られるだろう。

ここで、人生経験のあらゆる節目の始まりで確認するととても役に立つ言葉を教えてあげよう。**「人生経験のこの節目に入るにあたり、わたしは自分が見たいものを見ようと思う」**

この言葉は――人とつきあうときには――仲良くしたい、相手を元気づけたい、自分の考えを効果的に伝えたい、自分の求めるものと調和した欲求を相手に持たせたい、というように、自分が見たいのは何かを気づくきっかけになるだろう。この言葉はとても役に立つはずだ。

創造的な意図は詳細なほうがいいか？

ジェリー 前進したいと思ったとき、その方法や手段はどうで、結果として自分はどういう状態になりたいのか、何を実現したいのかということについて、どのくらい細かく考えるべきでしょうか？

エイブラハム 欲求について考えるときには、前向きの感情がわき起こる限りで詳しく考えればいいが、ネガティブな感情になるほど詳細にわたってはいけない。何かをぼんやり求めているのでは、思考は具体性に欠ける――したがって強力にならない――から、「宇宙」の力が引き寄せられてこない。だが、逆に信念を支えるだけの十分なデータもないのにあまりに細部まで考えるのもよくない。言い換えれば、具体的に考えたとき、その欲求の実現が信じられなくなるとネガティブな感情になる。だから、前向きの感情がもたらされる限りで十分に具体的に考えればいいが、しかしネガティブな感情になるほどに具体的に考えてはいけない。

「節目ごとの意図確認」は繰り返し行うべきか？

ジェリー　エイブラハム、もう少し「節目ごとの意図確認」について話してください。すべての瞬間にいちいち細かいことに関心を向けるのはとても面倒なのですが、例えば、毎朝最初に安全を望むと確認するだけで済ますことはできませんか？　それで、その日一日の安全を守れないでしょうか？

エイブラハム　何度も同じことを繰り返す必要はないが、どの時点でもいちばん重要なことを再確認することは大切だ。安全という意図を確認し、安全を感じるようになったら、そのあとはいつも安全を引き寄せるポイントが確立されている。もし安全ではないと感じたら、そのときはまた安全を再確認することだ。

「節目ごとの意図確認プロセス」はとっさの対応を妨げるか？

ジェリー　「節目ごとの意図確認」が臨機応変なとっさの反応を妨げることはありませんか？

エイブラハム　「節目ごとの意図確認」でいい加減な反応は防げる。さらに意図的な反応をする能力は強化される。臨機応変というのは、臨機応変に自分の望むことを引き寄せるならば素晴らしい。だが、臨機応変に望まないことを引き寄せたのでは、素晴らしいとはいえない。意図的な創造の代わりに惰性で臨機応変に対応するのは嫌だろう。

「信念と欲求の微妙なバランス」とは？

ジェリー　エイブラハム、ここであなたがたが「創造における、欲求と信念の微妙なバランス」とおっしゃることについて話してもらえますか。

エイブラハム　創造のバランスの二つの要素は「欲すること」と「許容し可能にすること」だ。

「欲する」ことと「期待する」ことといってもいい。
最善のシナリオは、何かを欲して、それが実現すると信じて期待することだ。これが創造としては最善の形だ。何かをちょっとだけ欲して、実現すると信じれば、バランスは完了し、望みはかなえられる。何かを強く欲しても、実現する力があるかどうかを疑えば、少なくともすぐには実現しない。欲求の思考と信念の思考が釣り合わなくてはならないからだ。

刺激を受けて望まない何かについて考え、それはよく起こることだと聞いて、自分にも起こる可能性があると信じたとする。望まないことについてのちょっとした思考と起こる可能性についての信念のために、その体験が実現する場合がある。

自分が望むことについて考えれば考えるほど、「引き寄せの法則」によってさまざまな証拠が引き寄せられてくるから、あなたはやがてその実現を信じるだろう。「引き寄せの法則」を理解し（法則は常に一貫しているから、その気になれば簡単にわかる）、意図的に自分の思考を方向づければ、自分はなんにでもなれるし、なんでもできるし、なんでも手に入れられると信じるようになる。

「節目ごとの意図確認」と行動との関連は？

ジェリー　わたしたちは物質の世界に住んでいて、経済的な見返りを得るためには必死に働くことが大切だと教えられています。でもあなたがたは物質世界の労働についてはあまり触れられないですね。一生懸命に働くこと、あるいは物質世界における行動はあなたがたの創造の方程式にどうあてはまるのでしょうか？

エイブラハム　思考を通じてある対象に関心を向ければ向けるほど、「引き寄せの法則」が作用する。そしてその思考はますます力強くなる。そして前もって道を敷くこと、「節目ごとの意図確認」、それに「創造のワークショップ」でのイメージ作りによって、どう行動するかについてインスピレーションがわいてくるだろう。インスピレーションに基づく行動は、あなたに「宇宙の法則」が作用することを「許容し可能に」するから、よい成果が生まれる。だが、意図的に道を敷いていないと、その瞬間の行動で実現できるよりももっと多くのことを成し遂げようとして、行動が辛い労働に感じられる場合が多い。

創造が始まり、インスピレーションに基づく行動がそれに続いたと感じれば、未来は準備が整ってあなたの到着を待っていることがわかるだろう。そのときには無理やりに創造に結び付けようとして行動するのではなく、真の創造力の果実を享受するために行動すればいい。

最善の行動を見抜く方法は？

ジェリー すると、特定の目的を実現するためにいくつもの違った行動が考えられる場合、最終的にはどの行動が最も効果的かを判断するにはどうすればいいのでしょうか？

エイブラハム 可能性のある行動をとっている自分を想像し、そのとき自分がどう感じるかに注目しなさい。二つの選択肢があるとしたら、一つを選んだときに自分がどう感じるかを思い描いてみる。次にもう一つの選択肢について、自分がどう感じるかを考える。だが、その行動がどう感じられるかは、まず自分の意図を確認して適切な優先順位をつけておかないとはっきりわからないだろう。それをしておけば、その行動がいちばん適切かどうかを判断するのはとても簡単だ。「感情というナビゲーションシステム」を使えばよろしい。

実現までどれぐらい待てばいいか？

ジェリー　何かが実現するのを待っているのに、なかなか望むことが実現しないので、少しがっかりしている人たちがいるとします。その人たちは成功の兆しが現れるまで、どれくらい待つべきなのでしょうか？　それから、実現しそうだよという兆候はどんなふうに現れるのでしょうか？

エイブラハム　何かが欲しいという意図を確認して、実現を期待すると、その対象はあなたの元へ近づき始めるから、いろいろな兆候が現れ出す。同じようなことを実現した人に出会い、さらに欲求を刺激されるかもしれない。いろいろな方向からその対象が見えてくるかもしれない。その対象について考えてワクワクすることが多くなるかもしれない。それに欲するもののことを考えてとても気分がよくなるかもしれない。こういうことは、欲求が実現しかかっている兆候の一部だ。

あなたがたの創造の努力の大半は、自分が何を望むかを確定し、その欲求に思考を合わせることに注がれることが理解できれば、創造のプロセスの大半は波動のレベルで起こっていることがわかるだろう。したがって、物質世界で証拠が現れるときには、あなたがたの創造はほぼ——99パーセント——完成している。

自分の創造を期待して感じる前向きの感情も創造が進行している証拠だということを覚えていれば、着実に迅速に望む結果に向かっていけるだろう。

共同で創造するときにも「節目ごとの意図確認」を使えるか？

ジェリー　エイブラハム、誰かと一緒に目的を達成しようというときには、この「節目ごとの意図確認のプロセス」をどう使えばいいですか？

エイブラハム　自分の「節目ごとの意図確認」がうまくいっていれば、欲求に向けた思考はいっそう力強くなる。そしてあなたの影響力も強くなるだろう。だから協力相手もあなたのアイデアの精神を把握しやすくなる。

それから、相手から最善の力を引き出すためにも「節目ごとの意図確認」はとても役に立つ。相手が協力的でなかったり、焦点が定まっていないと予想していたら、そのとおりのことを相手から引き出すことになる。相手が優秀で協力的であると期待すれば、そのとおりのことが相手から引き出される。実際に相手と会う前に、時間をとって自分の思考をそのような強力な場所に持っていけば、自分にとっても相手にとってもはるかに満足のいく協力的な創造ができるだろう。

意図を相手に正確に伝えるには？

ジェリー　この何年か、非常に重要だと感じる状況なのに相手方もわたしも右往左往してしまい、あとになって、「こう言えばよかった」「こう言うべきだった」「こう言いたかったのにできなかった」と思うことがよくありました。それで、せっかくの出会いが終わっても達成感どころかいらだちばかりが残ったのです。どうすればこんな状態を避けることができますか？

エイブラハム　その会話に入る「前に」、自分が望む成果について考えていれば、思考に勢いがついていて、あなたの意図するところがはっきり相手に伝わるだろう。それに一緒に考えや思いつきや経験を組み合わせれば、自分一人よりもっと大きなことが創造できる可能性があるという認識を持つことも大切だ。相手の貢献を前向きに期待し、道を敷いておけば、相手からも明確で力強い貴重な協力を引き出せるだろう。心地よい状態を整えておくことであなたの精神も明晰になり、相手もまた明晰になって、ともに素晴らしい創造ができるだろう。

ジェリー　相手と議論になりそうだなと思ったとき、相手を動揺させたり、気持ちを傷つけたりしたくない、怒らせたくないと考えたら、どうすればいいですか？　言い換えれば、相手の欲求がこちらとぶつかるが、それでも議論を避ければお互いにとって利益になる決着方法がありそうだと思うとき、どうすればお互いのためになるでしょうか？

エイブラハム　その節目に入るにあたって、共通点、お互いが調和する部分に焦点を定めようと意図することだ。同意できない部分にはあまり関心を向けず、一致する部分に最大の関心を向ければいい。すべての人間関係のもつれはこれで解決できる。人間関係の問題のほとんどは、気に入らない小さなことにばかり関心を注ぐから生じる。そうすると、「引き寄せの法則」によってますます望まないことが起こる。

ジェリー　あなたがたは何度も、わたしたちはすべてを手に入れることができるとおっしゃいました。そこで、豊かになりたいけれど、でもそのために働いたり仕事を探したりするのは嫌だ、という状況を考えてみたいのです。この矛盾はどう解消すればいいでしょうか?

エイブラハム　意図を二つに分けることだ。豊かさを望み、だが働かなければ豊かにはなれないと信じていたら、豊かになる唯一の方法と信じることをしたくないのだから、豊かにはなれない。しかし、豊かさだけを取り出して考え、嫌だと思う労働と組み合わせなければ、豊かさを引き寄せることができるだろう。

今、あなたは非常に重要な質問をした。対立する意図、対立する信念についての質問だ。

解決策は、対立から目をそらして自分が望むことにだけ目を向けることにある。

豊かさを望み、そのためには働かなくてはならないと信じて一生懸命に働けば、そこには対立はないから、ある程度の豊かさを達成できるだろう。

豊かさを望み、そのためには働かなくてはならないと信じて、だが働くのは嫌だと思えば、思考に対立があるから、行動を起こすのが難しいだけでなく、行動しても生産的にはならないだろう。
豊かさを望み、自分は豊かになる価値があると信じて、望んでいるのだから実現すると期待していれば、思考に対立がない。だから豊かさが寄ってくるだろう。考えるとき、自分がどう感じるかに注目していれば、思考の対立は回避できる。何を望むにしても思考の対立がなくなれば、望みは実現する。「引き寄せの法則」によって、実現せずにはいないのだ。

「就職口が一つ見つかると、次々に求人がある」のはなぜ？

ジェリー　何ヶ月も求職活動をしても仕事が見つからなかったのに、一つ見つかったら、同じ週に四つも五つも声がかかる、という場合があります。あれは、どうしてなんでしょうね？

エイブラハム　どうして長い間仕事が見つからなかったのかといえば、それは望むこと、つまり就職に焦点を定めるのではなく、仕事がないことに焦点を定めていたから——望む対象を押しのけていたからだ。だが、その対立が破れて仕事が見つかると、もう失業に焦点が定められてはいない。**今度は望むことに焦点が定められているから、道が敷かれて次々に就職口が見つかる。**あなたの例で言えば、信念は弱くても欲求がどんどん強くなって、やがてその人がいちばん強く感じるところに「引き寄せの法則」が作用する。だが、思考を整理しなかったために、不必要に苦しんでしまったわけだ。

養子をとると妊娠するのは？

ジェリー　何年も子どもができなかった夫婦が養子をとると、とたんに妻が妊娠するということがよくありますが、それも同じですか？

エイブラハム　そう、同じことだ。

競争にはどんな意味があるか？

ジェリー　もう一つ、質問です。競争にはどんな意味があるんでしょうか？

エイブラハム　わたしたちの視野からすれば、わたしたちすべてが創造しているこの広大な宇宙には競争などはない。あらゆるものがわたしたちすべてを満足させるのに十分なくらい豊富にあるからだ。あなたがたは賞は一つしかないと言って、競争する立場に身を置く。そのために少々不快な気持ちになる。勝利したい、負けたくないと望むが、勝利ではなく敗北のほうに関心が向けられることが多いからだ。

競争することになれば、常に勝利するのは、最も明確に勝利を望み、最も強く勝利を期待する者だ。競争に意味があるとしたら、欲求を刺激するということだろう。

意志を鍛えるのはよいことか？

ジェリー　意志を鍛えて、自分が望むものをもっと多く獲得し、望まないことが起こらないようにする方法がありますか？

エイブラハム　「節目ごとの意図確認」のプロセスを活用すればいい。だがその場合は「意志を鍛える」というよりも、「引き寄せの法則」が思考を引き寄せて追加するということだ。意志を鍛えるというのは「決意」といっていい。決意とは「意図的な思考」のことだろう。

だが、そういうふうに表現すると、実際よりも大変なことのように聞こえる。自分が好むほうへ思考を向け、一日中それを続けていれば、あとは「引き寄せの法則」の作用で自然に進行する。

なぜ、成長を期待しなくなるか?

ジェリー　わたしたちの社会では、ほとんどの人が25歳から35歳くらいになると成長や発達が行き止まりになるように思われます。念願のマイホームも手に入れた。ライフスタイルもそれなりに決まった。仕事でも落ち着いた。信念や政治的意見や宗教的な信条もほぼ固まっている。個人的な経験ということでも、ほとんどすべきことはなし終えた。そんな感じです。どうしてそういうことになるのか、教えていただけますか?

エイブラハム　それはなすべき経験をすべてなし終えたというよりも、もはや新しい経験を引き寄せなくなった、ということだろう。新しい経験をすれば興奮も欲求も高まる。だが、そのような人たちの多くはもう欲求を意識して差し出すことをしなくなる。多かれ少なかれ現状であきらめているのだ。

現状にだけ関心を向けていれば、現状維持になる。望むことに関心を向ければ、変化を引き寄せる。それに、要するに「法則」がわかっていないことから生まれる、ある種の自己満足もあるだろうね。

ほとんどの人が意図的に成長を望むことをやめてしまうのは、「宇宙の法則」を理解していないからだ。それで矛盾した考えを提示してしまい、求める結果が得られない。自分に何ができるかという信念と自分が達成したい欲求とが一致せず、いくらがんばってもいい成果が出ないと、いつかはくたびれて嫌になってしまう。

「宇宙の法則」をきちんと理解し、自分の考えを穏やかに自分が望む方向へ向ける練習を始めれば、すぐに前向きの成果が生まれる。

ジェリー　**人生のある時点で、自分がいわば下向きの悪循環にはまったと気づいた人がいるとしましょう。そういう人たちは、「節目ごとの意図確認」をどう活用すれば好循環に戻ることができますか？**

エイブラハム　あなたがたの「今」に力がある。それどころか、あなたがたの力はすべて、今ここ、この瞬間にある。だから、「今」に焦点を定めて、この節目で最も望むことだけを集中して考えれば、思考が明晰になる。たった今、ありとあらゆる面で自分が望むことを全部整理することはできないが、たった今、ここで望むことを明確にすることはできる。節目ごとにそれが明確になれば、新たな明晰さが身につく。そして悪循環から抜け出せるだろう。

古い考え方や信念、習慣の影響を排除するには？

ジェリー　エイブラハム、たいていの人は古い考え方や信念、習慣を捨てるのがとても難しいようです。過去の経験や信念の影響を排除するのに役立つモットーを教えていただけますか？

エイブラハム　「わたしの力は『今』にある」という言葉はどうかな。古い考え方を捨てようという努力は勧めない。捨てようとするとかえってそのことを余計に考えるようになる。それに、古い考え方でも継続する価値があるものもある。だから、自分の思考をどちらに向けるかということにもっと関心を持ち、自分が心地よいと感じる決断をしなさい。「今日、わたしはどこへ行こうと、何をしようと、必ず自分が見たいものを見よう。自分の感じ方以上に重要なものはない」と考えればいい。

ジェリー　それじゃ、マスコミで報道されるネガティブなことを見聞きしたり、友人から困った問題について聞かされたりするとき、そのネガティブなことの影響を受けないようにするには、どうすればいいでしょうか？

エイブラハム　人生経験のあらゆる節目で、自分が見たいものを見るという強い意志を持つこと。そうすれば、どんなにネガティブな状況でも何かしら見たいものが見られるよ。

何を望まないかを表明することはかまわないか？

ジェリー　「何を望まない」とはっきり表明してもいいですか？

エイブラハム　自分が何を望まないかを表明すると、何を望むかがもっとはっきりしてくることがある。だが、望まないことからはすぐに関心を移して、望むことに向けるほうがいい。

ジェリー　エイブラハム、ネガティブな感情をもたらす特定の考え方を検討することに価値があると思われますか？

エイブラハム　価値があるとすれば、次の理由からだろう。自分がネガティブなことを考えていると思ったとき、いちばん大切なのは、何であろうとすぐにそのネガティブな思考をやめることだ。非常に強力な思い込みがあると、ネガティブな思考が何度も何度も浮かぶかもしれない。だから常にそのネガティブな思考から別のものへと、思考の対象を変えなければならない。その場合、その厄介な思考はなんなのかを認識して、新たな視点によってその厄介な思考を改善しようとすることには価値がある。言い換えれば、対立する信念の衝突を和らげて作り直すことだ。そうすれば、そのような思考にしつこく悩まされることもなくなるだろう。

あなたの欲求は非現実的だと言われたら？

ジェリー　誰かわたしたちの欲求を知っている人に、あなたの欲求は「非現実的だ」と言われたら（しかもその欲求が平均をはるかに超えていたら）、どうすればその言葉の影響を受けないで済みますか？

エイブラハム　人と話をする前に、自分にとって重要なことにだけ思考を向けようと決めていれば、人の影響は受けないで済む。ここで「節目ごとの意図確認」がとても大切になる。あなたの「現実」はこうだと他人が主張するとき、その人たちはあなたが樹木のように現時点に根を張るように仕向ける。あなたが「現状」だけを見ている限り、そこから抜け出すことはできない。見たいものを見ることが「可能に」ならなければ、欲しいものを引き寄せることはできない。「現状」への関心は同じような「現状」を生み出すだけだ。

「60日ですべてを達成する」ことはどうして可能か？

ジェリー　あなたがたは、要するに「60日で人生は望むとおりになる」とおっしゃっているわけですね。どうすればそんなことができるでしょうか？

エイブラハム　まず、あなたがたの人生はすべて、あなたがたが過去に提示した思考の結果だということを認識しなくてはいけない。それらの思考が文字どおりあなたの今の環境を招き寄せ、設定している。だから今日から未来に思考を向け、自分が欲する自分を未来に見るようにすれば、未来の出来事や環境は自分が望むとおりに整い始める。

未来に思考を向けるとき――その未来とは10年先かもしれないし、5年先かもしれないし、60日先かもしれないが――あなたは文字どおり道を敷き始める。それから、その道が敷かれた時間のなかを進むにつれて未来が現在になるから、あなたは「わたしの望むことはこれだ」と言明することで微調整を行えばいい。何をするかを決断する今この瞬間、あなたが未来に向けて差し出した考えのすべてがきれいに組み合わされて、あなたが望むとおりの人生をもたらすことだろう。

だから実は、日々に多くの節目がある、ということを認識する簡単なプロセスで十分だ。新しい節目に入るたびに、あなたは立ち止まって何が自分にとっていちばん重要なのかを明らかにする。そうすれば「引き寄せの法則」によって自分が思考したものが引き寄せられてくる。何かについて考えれば考えるほど、思考は明晰になり、明晰になればなるほど、感情が前向きになって、その対象を引き寄せる力も大きくなる。だから「節目ごとの意図確認」をきちんと実行することが迅速な「意図的な創造」の鍵になる。

この最も重要なテーマについて、あなたがたと話せてとても楽しかったよ。あなたがたはとても大きな愛に包まれている。

さあ、あなたはこれで理解できた！

さて、これであなたがたは自分が参加している「永遠の生命」というこの見事なゲームの「ルール」を理解したわけだから、これからは必ず素晴らしい体験ができるだろう。あなたがたは今、物質世界の経験を創造的にコントロールできるようになった。

力強い「引き寄せの法則」を理解したあなたがたは、どうして自分に、あるいは自分が見ているほかの人たちに今起こっているようなことが起こるのかも、よくわかったはずだ。そして自分が望む方向へ思考を向けることを心がけて、それが上手にできるようになれば、「意図的な創造の方法論」を会得したということだし、そうすればどこにでも好きなところに行くことができる。

あなたがたは節目ごとに人生経験の道を敷いていく。節目ごとに強力な思考を未来に差し向けていけば、楽しい未来は約束される。さらに自分の感情に注意深く関心を払っていれば、「内なる存在」「本当の自分」に調和させるように思考を導くことができて、本来そうであるべき「許容し可能にする者」になれる。そして終わりのない喜びに満ちた人生を送ることができる。

あなたがたとのこの交流は、わたしたちにとってもまことに楽しかった。

それでは、今はこれで終わることにしよう。

エイブラハム

訳者あとがき

人は誰でも幸せに生きたいと思っている。思っているが、「でもうまくいかないなあ」と考える人が大半ではないだろうか。本書は「そんなことはありません、だいじょうぶ！人は幸せに生きられるんですよ！」と教えてくれる頼もしくて力強い本である。

「宇宙を貫く法則がある」と、本書の著者を通じて、見えない世界の賢者たち（と言っていいのだろう）のエイブラハムは語る。すべてはそれ自身に似たものを引き寄せる。それが宇宙を貫く「引き寄せの法則」だ。「あなたは磁石のように自分に似た思考を引き寄せ、それが現実化する」とエイブラハムは言う。日本でも、「類は友を呼ぶ」という。明るい人には明るい人生が開けるが、暗いことばかり考えていたら行く先もだんだん暗くなる。昔から、人々はそういうことに気づいていたのだろう。だが、どうしてそうなのか、どうすればその知恵を人生に生かせるのか、そこまでわかっている人は少なかった。エイブラハムはこの昔からの知恵こそが宇宙の法則であり、その法則を理解して、実践に応用すれば、「あなたはなんにでもなれるし、なんでもできるし、なんでも手に入れられる」と言う。

なぜか？　人の思考は波動であり、似たような波動の思考を引き寄せる。物事の基本はこの波動で、似た波動が集まってどんどん大きく強くなれば、その思考が現実になるからだ。波動などと言うと、おいおい、と思われる方もいらっしゃるだろう。だが、物事の始まりは思考だ、というのは、考えてみれば納得されるのではないか。まったく考えなかったことなどは実現しない。以前、『人が考えることは、いつかきっと技術者が実現する』という言葉を聞いたことがある。人類は空を飛びたいと思った。やがて、飛行機という形でその思考は現実化した。誰も空を飛びたいと思わなければ、今でも人間は地面に縛り付けられたままだっただろう。夏でも涼しく、冬でも凍えずに暮らしたいと人は考えた。今の人たちはエアコンで快適に過ごすことなど、当たり前だと思っているだろうが、訳者が幼いころは暑いときは暑さを、寒いときは寒さを我慢するほうが当たり前だった。

では、どうして人は幸せになりたいと思いながら、幸せになれないのか？「幸せになりたい、でも……と考えるからだ」とエイブラハムは教える。矛盾したことを考えていれば、矛盾した思考が引き寄せられてくる。それでは、肝心の願いは実現しない。こう指摘されて、皆さんはきっと思い当たることがおありだろう。だいたい人は、「でも」だの、「やっぱり」だの、「だけど」だのと考えているものだ。「豊かになりたい。でも、今の自分は貧しいし、金持ちになんかなれるはずがない」「すてきな人と結婚したい、でも、自分はそんなに美人じゃないし（ハンサムじゃないし）、やっぱりダメだろう」「世界一周旅行をしてみたい、だけど無理だろう」……そんなふうに考えていれば、「ダメだろう、無理だろう」のほうが実現してしまいますよ、というわけだ。

そこで、エイブラハムは第二の法則を教えてくれる。「意図的な創造の方法論」である。『わたしが考え、信じ、あるいは期待したことは実現する』という法則をしっかりと頭にたたき込んで、自分の思考をプラスのほうへ向けなさい」と言う。だが、ひっきりなしに浮かんでくる思考をいちいち「これはプラスかマイナスか」と監視することはできない。それではどうしたらいいのか？　「人間には『感情という素晴らしいナビゲーションシステム』が与えられていますよ」とエイブラハムは言う。幸せを願う本当の自分、その自分の意図と自分が今考えていることが一致していれば、明るい前向きな気持ちになれる。だから、その考えはよろしい。でも、何かを考えて、「あーあ」とネガティブな暗い気持ちになるようだったら、その考えは幸せになりたい自分とは一致していないのだから、すぐにその考えから離れなさい。楽しい幸せな気持ちで考えることならＯＫです、と。

さらに、思考が現実化するためには、もう一つの要素が必要になる。「許容し可能にする」ことだ。願うことの実現が可能だと信じて認めること。「こうしたい、こうなりたい」と強く願っても、その実現が自分でも信じられなければ、その思考はなかなか現実化しない。同時に、この「許容し可能にする」ことには、ありのままの自分と他者と世界を認めることも含まれる。何かに抵抗し、反対していれば、その抵抗し、反対する対象について激しい思いで考えているのだから、対象と似たものが引き寄せられてしまう。まず、ありのままを認めること、そして多様な世界のなかで自分の望む現実を創り出すのでなければ、願いはかなわない。

それじゃ、よくないことも困った人も何もかも放っておけばいいのか？

最近、訳者の身辺にちょっとしたトラブルがあった。ある人の行動を見ていると、自分で自分を不幸に追い込んでいる気がする。なんとか生き方を変えるように忠告したいと思っても、人は普通、他人の助言などにはなかなか耳を貸さない。どうしたらいいのか？　そうしたら別の人に、「彼が自分で道を切り開いていくだろう、そう信じてあげることも大切ではありませんか」と言われた。なるほど！　相手が問題を解決することに目を向けて、相手を「許容する」ことが（自分にとっても、相手にとっても）大切だと本書でも教えていることを、遅まきながら思い出させられたのだった。

本書で最後にエイブラハムが教えている「節目ごとの意図確認」、これはとても実践的で役に立つと思うので、ぜひ試していただきたい。日々を過ごすなかで、節目ごとに今最も重要なこと、経験したいことに意識的に思考を向けるのである。クルマでどこかへ出かけるという節目。このときいちばん大事なのは安全、快適、スムーズに目的地に着くことだから、それをきちんと意識する。夕飯の支度をするという節目なら、おいしくて喜ばれる料理を手際よく作ろうと考えて、料理に取りかかる（これは料理嫌いな訳者にとっては、自戒を込めた例なのだが……）。そんなことを考えるだけで、物事がうまくいくのか？ たぶん、うまくいく。人の心は不思議だ。例えば、ちょっとしゃくに障る人があったとしても、その人が幸せでありますようにと念じていると、相手に悪意を持ち続けることはできない。人の心はそんなふうにできているからである。

本書は著者ヒックス夫妻のうち妻のエスターがチャネリングしたエイブラハムの言葉を編集したものだ、と著者の紹介にある。夫のジェリーは以前から人生のさまざまな疑問の答えを知りたがり、いろいろな教会の扉を叩き、チャネリングの本も読んできたが、妻のエスターはその種のことを嫌がり、夫に本を寝室に持ち込まないように頼んだほどだった。ところが気づいてみたら、「今じゃ『わたしが』チャネラーなんですものね」と笑ったという。

訳者もチャネリングということをどう考えていいのか、正直戸惑う。しかし、この世の中にはわからないことがたくさんある。例えば「5次元の世界がある」とか、「いや、宇宙は11次元だ」とか、「すべては振動するヒモでできている」と言われても、わたしたちには実感としてわかりはしない。わからないことはわからないこととして、しかし、その内容が自分の経験や気持ちに照らして、なるほどそのとおりだと思うのだったら、それは素直に取り入れてもいいのではないか。訳者も以前は「その種のこと」にまず拒否反応を持ったものだった。だが還暦を過ぎて、「この世の中にはわからないこと、不思議なこともある、それが生きているおもしろさかもしれない」と思うようになった。読者の皆さんにも、まずはエイブラハムの言葉に耳を傾け、それから、「ふむ、もしかしたらそのとおりかもしれない」と思われたら、ぜひ「引き寄せの法則」を試してみてください、とお願いしたい。幸せな磁石になれば、きっと幸せがたくさん引き寄せられてくるだろう！

2007年9月

吉田利子

エスター・ヒックス、ジェリー・ヒックス

見えない世界にいる教師たちの集合体であるエイブラハムとの対話で導かれた教えを、1986年から仲間内で公開。お金、健康、人間関係など、人生の問題解決にエイブラハムの教えが非常に役立つと気づき、1989年から全米50都市以上でワークショップを開催、人生をよりよくしたい人たちにエイブラハムの教えを広めている。エイブラハムに関する著書、カセットテープ、CD、ビデオ、DVDなどが700以上もあり、日本では『サラとソロモン』(ナチュラルスピリット)、『運命が好転する 実践スピリチュアル・トレーニング』(PHP研究所)が紹介されている。
ホームページ　http://www.abraham-hicks.com/

吉田利子(よしだ・としこ)

埼玉県出身。東京教育大学文学部卒業。訳書に、ニール・ドナルド・ウォルシュ『神との対話』シリーズ(サンマーク出版)、ビル・エモット『日はまた昇る』、スタンリー・ビング『孫子もタマげる勝利術』(ともに草思社)、オリヴァー・サックス『火星の人類学者』(早川書房)、ゲイリー・レナード『神の使者』(河出書房新社)、ドロシー・ロー・ノルト『いちばん大切なこと。』(PHP研究所)など。

引《ひ》き寄《き》せの法則《ほうそく》　エイブラハムとの対話《たいわ》

2007年10月31日 初版第1刷発行
2007年11月13日 初版第3刷発行

著者	エスター・ヒックス　ジェリー・ヒックス
訳者	吉田利子《よしだとしこ》
発行者	新田光敏
発行所	ソフトバンク クリエイティブ株式会社 〒107-0052 東京都港区赤坂4-13-13 電話　03-5549-1201(営業部)
装幀	松田行正＋加藤愛子＋相馬敬徳
DTP	クニメディア株式会社
印刷・製本	中央精版印刷株式会社

落丁本、乱丁本は小社営業部にてお取り替えいたします。
定価は、カバーに記載されています。
本書の内容に関するご質問等は、小社学芸書籍編集部まで必ず書面にてお願いいたします。

ISBN978-4-7973-4190-4